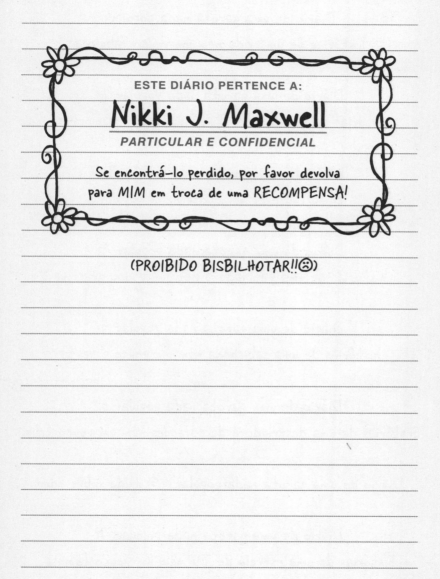

TAMBÉM DE *Rachel Renée Russell*

Diário de uma garota nada popular:
histórias de uma vida nem um pouco fabulosa

Diário de uma garota nada popular 2:
histórias de uma baladeira nem um pouco glamourosa

Diário de uma garota nada popular 3,5:
como escrever um diário nada popular

Diário de uma garota nada popular 4:
histórias de uma patinadora nem um pouco graciosa

Diário de uma garota nada popular 5:
histórias de uma sabichona nem um pouco esperta

Diário de uma garota nada popular 6:
histórias de uma destruidora de corações nem um pouco feliz

Diário de uma garota nada popular 6,5: tudo sobre mim!

Diário de uma garota nada popular 7:
histórias de uma estrela de TV nem um pouco famosa

Rachel Renée Russell

DIÁRIO
de uma garota nada popular

Histórias de uma pop star nem um POUCO talentosa

Tradução
Antônio Xerxenesky

18ª edição
Rio de Janeiro-RJ / São Paulo-SP, 2024

VERUS
EDITORA

TÍTULO ORIGINAL: Dork Diaries: Tales from a Not-So-Talented Pop Star

EDITORA: Raissa Castro

COORDENADORA EDITORIAL: Ana Paula Gomes

COPIDESQUE: Ana Paula Gomes

REVISÃO: Anna Carolina G. de Souza

DIAGRAMAÇÃO: André S. Tavares da Silva

CAPA, PROJETO GRÁFICO E ILUSTRAÇÕES: Lisa Vega

Copyright © Rachel Reneé Russell, 2011

Tradução © Verus Editora, 2012

ISBN 978-85-7686-177-5

Todos os direitos reservados, no Brasil, por Verus Editora.

Nenhuma parte desta obra pode ser reproduzida ou transmitida por qualquer forma e/ou quaisquer meios (eletrônico ou mecânico, incluindo fotocópia e gravação) ou arquivada em qualquer sistema ou banco de dados sem permissão escrita da editora.

VERUS EDITORA LTDA. Rua Argentina, 171, São Cristóvão, Rio de Janeiro/RJ, 20921-380 www.veruseditora.com.br

CIP-BRASIL. CATALOGAÇÃO NA FONTE
SINDICATO NACIONAL DOS EDITORES DE LIVROS, RJ

R925d
v.3

Russell, Rachel Renée

Diário de uma garota nada popular : histórias de uma pop star nem um pouco talentosa / Rachel Renée Russell ; tradução Antônio Xerxenesky ; ilustração Lisa Vega. – 18. ed. – São Paulo, SP : Verus, 2024.

il. ; 21 cm

Tradução de: Dork Diaries : Tales from a Not-So-Talented Pop Star

ISBN 978-85-7686-177-5

1. Literatura infantojuvenil americana. I. Xerxenesky, Antônio. II. Vega, Lisa. III. Título.

12-0961

CDD: 028.5

CDU: 087.5

Revisado conforme o novo acordo ortográfico
IMPRESSÃO E ACABAMENTO: Santa Marta

Para minha avó, Lillie Grimmett.
Feliz aniversário de 90 anos!
Obrigada pela infância com um estoque
sem fim de lápis, papéis, abraços e sonhos.

AGRADECIMENTOS

A todos os fãs de *Diário de uma garota nada popular*, obrigada por gostarem tanto desta série quanto eu! Uau! Já estamos no terceiro livro?! Lembrem-se sempre de deixar seu lado nada popular brilhar!

Liesa Abrams, minha maravilhosa editora, que misteriosamente parece conhecer a Nikki Maxwell melhor do que eu. Obrigada por tornar divertidas as inúmeras horas que passamos trabalhando nos livros da série. E, sim, tudo aconteceu da maneira que você falou que aconteceria. É isso aí, Batgirl!

Lisa Vega, minha mágica editora de arte, que nunca deixa de me surpreender quando pega um post-it amarelo, duas cores e – ABRACADABRA! – os transforma numa capa fantástica, que voa das prateleiras.

Mara Anastas, Bethany Buck, Paul Crichton, Carolyn Swerdloff, Matt Pantoliano, Katherine Devendorf e o restante da minha equipe fabulosa na Aladdin/Simon & Schuster, obrigada a todos pelo trabalho intenso com esta série.

Daniel Lazar, meu extraordinário agente da Writers House, obrigada por me apoiar em cada passo. Eu não poderia ter escolhido um "comparsa" melhor! E um agradecimento especial a Stephen Barr, por sempre me fazer sorrir.

Maja Nikolic, Cecilia de la Campa e Angharad Kowal, meus agentes de direitos internacionais da Writers House, muito obrigada por levarem *Diário de uma garota nada popular* pelo mundo afora.

Nikki Russell, minha filha e assistente artística supertalentosa. Não consigo nem começar a agradecer por tudo que você faz. Sou abençoada por poder compartilhar este sonho com você.

Sydney James, Cori James, Presley James, Arianna Robinson e Mikayla Robinson, minhas sobrinhas, obrigada por serem críticas brutais que aceitam trabalhar em troca de uma pizza com o dobro de queijo e o dobro de calabresa.

SEXTA-FEIRA, 1º DE NOVEMBRO

AI, MEU DEUS!

Acho que ontem foi o MELHOR dia da minha vida ☺!!

Não só tive momentos FANTABULOSOS na festa de Halloween com o menino que eu curto, o Brandon, mas também acho que ele gosta de mim! EBAAAAAAA!!! ☺!!

Com "gostar", quero dizer como uma ÓTIMA amiga.

Com certeza, NÃO como uma namorada séria ou algo assim. Aposto que ISSO não aconteceria NUNCA, nem em um milhão de anos!

POR QUÊ? Bom, talvez porque eu seja a garota mais TONTA do colégio.

Além do mais, com três espinhas, dois pés esquerdos, uma vida social insignificante e nenhuma popularidade, não sou bem o tipo de garota que um dia vai ser coroada rainha da festa.

Mas, graças ao meu caso de PAIXONITE aguda, o estilo meio-desajeitada-completamente-apaixonada-
-chique-decadente que estou usando no momento definitivamente me faria concorrer ao título de...

PRINCESA DAS TONTAS!

É só que não me importo com GRIFE (ou seja, não sou uma ESNOBE obcecada por moda).

E NÃO sou viciada em gastar o dobro do PIB de um país pequeno de terceiro mundo em roupas, sapatos, joias e bolsas de marca, só para me RECUSAR a usar essas mesmas coisas um mês depois porque elas ficaram, "tipo, mais ULTRAPASSADAS que a minha avó!"

AO CONTRÁRIO de algumas pessoas que eu conheço...

E por "pessoas", me refiro a garotas fúteis e egocêntricas, como a...

MACKENZIE HOLLISTER ☹!!

Chamar a MacKenzie de "malvada" é pegar leve. Ela é uma COBRA de gloss cor-de-rosa e botas.

Mas ela NÃO me intimida nem nada assim. Porque, né, isso seria superimaturo.

Eu sempre me pergunto como é que as garotas como a MacKenzie conseguem ser tão... sei lá...

PERFEITAS.

Eu queria ter algo que, num passe de mágica, pudesse me transformar numa pessoa perfeita.

Seria alguma coisa que tivesse o poder da fada madrinha da Cinderela, fosse fácil de usar e pequena o bastante para caber na bolsa ou na mochila.

Algo do tipo, não sei, quem sabe o...

GLOSS ENCANTADO DA MAXWELL ☺!

Meu gloss especial faria todas as garotas serem tão bonitas POR FORA como são POR DENTRO!

Não seria o MÁXIMO?!

GAROTA LEGAL (TIPO EU)

← ANTES DO **GLOSS ENCANTANDO**

(VEMOS UMA GAROTA NORMAL.)

DEPOIS DO → **GLOSS ENCANTADO**

(NUM PASSE DE MÁGICA, VEMOS MINHA BELEZA INTERIOR.)

!!

GAROTA MALVADA (TIPO A MACKENZIE)

← ANTES DO **GLOSS ENCANTADO**

(VEMOS UMA GAROTA POPULAR COM ROUPAS DE MARCA.)

DEPOIS DO → **GLOSS ENCANTADO**

(NUM PASSE DE MÁGICA, VEMOS SUA BELEZA INTERIOR.)

!!

Depois de passar horas estudando o possível impacto global do fenômeno do Gloss Encantado, fiquei chocada e surpresa com minhas descobertas científicas:

O Gloss Encantado *NÃO* fica BEM em *TODO MUNDO!*

Foi mal, Mackenzie ☺!!

Seja como for, estou torcendo para o Brandon me ligar hoje.

Eu ia SURTAR se ele ligasse. Mas tenho quase certeza de que isso não vai acontecer. O que, por sinal, me leva a uma dúvida MUITO importante...

COMO SABER SE UM CARA GOSTA DE VOCÊ SE ELE NUNCA TELEFONA???!!!

TESTE DE QI PARA PAIXONITE: Examine com cuidado, por sessenta segundos, as duas imagens seguintes. Você consegue perceber a DIFERENÇA entre elas?

GATO QUE GOSTA DE VOCÊ DE VERDADE

GATO QUE NÃO GOSTA DE VOCÊ

RESPOSTA: NÃO TEM DIFERENÇA! Esses dois caras são IDÊNTICOS!

Isso infelizmente significa que o seu paquera só IGNORA você, não interessa se ele GOSTA OU NÃO de você!

ARRRGGGGHH!!!...

(Isso fui eu quase arrancando os cabelos de raiva!)

A sorte é que a minha melhor amiga, a Chloe, é especialista em garotos e relacionamentos. Ela aprendeu tudo que sabe lendo revistas e livros para adolescentes.

E a Zoey, minha outra melhor amiga, é uma Wikipédia ambulante e uma guru de autoajuda. Ela é basicamente o dr. Phil de gloss, brincos de argola e com 14 anos.

Nós três vamos nos encontrar no shopping amanhã para comprar calças jeans. Mal posso esperar para conversar com elas sobre essas coisas de meninos, porque, na boa, não faço IDEIA do que pensar!

SÁBADO, 2 DE NOVEMBRO

Será que alguém pode POR FAVOR me explicar POR QUE minha vida é tão horrivelmente patética ☹?!

Até quando algo *FINALMENTE* dá CERTO, outra coisa *SEMPRE* dá absurdamente ERRADO!!!

Minha mãe ia me levar ao shopping hoje para encontrar com a Chloe e a Zoey. Por isso, fiquei SUPERCHATEADA quando ela me disse que eu teria que cuidar por 45 minutos da Brianna, minha irmã pirralha de 6 anos, enquanto ela saía pelo shopping para comprar uma torradeira nova ☹!

Apesar do rostinho angelical e dos tênis cor-de-rosa, a Brianna na verdade é um filhote de tiranossauro. Que tomou ANABOLIZANTE!

Eu não ia sair com as minhas melhores amigas e levar a MALA junto.

Então, falei para a Chloe e a Zoey que tentaria encontrá-las assim que minha mãe terminasse de fazer compras.

Encontrei um lugar calmo e confortável para sentar e relaxar com o meu diário. Então, mandei a Brianna estacionar o bumbum ao meu lado no banco e não se mexer.

EU CUIDANDO DA BRIANNA (MAIS OU MENOS...)

Eu não tirei os olhos da Brianna por nem um minuto (ou dois, ou cinco), mas, quando me dei conta, ela tinha entrado na fonte do shopping para pegar as moedas!

Ainda bem que a fonte era rasa!

Então, cometi o erro de perguntar à Brianna o que diabos ela estava fazendo ali. Ela colocou as mãos na cintura e me olhou, impaciente.

"Não tá vendo que é uma emergência?! Uma bruxa velha e má sequestrou a princesa de pirlimpimpim. E a Bicuda precisa tirar o dinheiro da água para a gente comprar um bebê unicórnio de verdade no mercado e sair voando para salvar a princesa!"

Bem, se você faz uma pergunta IDIOTA, recebe uma resposta IDIOTA!

Tirei a Brianna da fonte e a fiz devolver o monte de moedas que ela tinha recolhido.

Claro, ela ficou furiosa comigo por estragar sua caça ao tesouro.

Então, para distraí-la, sugeri que a gente desse uma volta pela praça de alimentação para tentar encontrar amostras GRÁTIS de comida. NHAM!

Foi quando a Brianna começou a me encher para que eu a levasse à pizzaria favorita dela, a Queijinho Derretido.

Não sei por que as crianças gostam tanto daquele lugar. Tem uns bichos de pelúcia robotizados enormes, que dançam e cantam desafinados.

Pessoalmente, acho superesquisito o jeito como eles reviram os olhos e o fato de que a boca deles não acompanha direito a voz.

Talvez seja só eu, mas QUEM quer COMER num restaurante que tem um RATO sinistro de dois metros de altura saltitando por ali? Não interessa se ele canta "Parabéns a você" e dá bexigas de graça!

Para mim, a ÚNICA coisa mais ASSUSTADORA que isso era o palhaço do mal que morava debaixo da minha cama quando eu era criança.

Meus pais sempre insistiram que era só a minha imaginação. Mas ele parecia MUITO real para MIM!

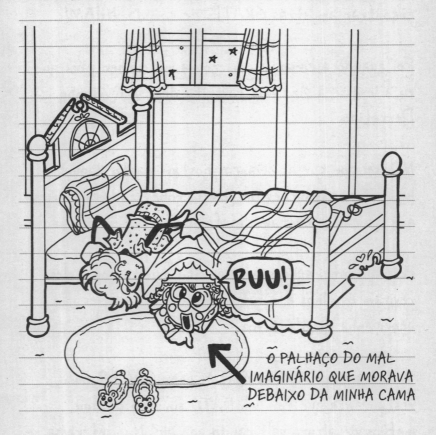

O PALHAÇO DO MAL IMAGINÁRIO QUE MORAVA DEBAIXO DA MINHA CAMA

Ai, meu Deus! Eu MORRIA de medo que ele me agarrasse pelos tornozelos, me puxasse para baixo da cama e eu ficasse PRESA ali, tipo, pelo resto da ETERNIDADE.

Ainda bem que agora eu sou mais velha e madura e NÃO tenho mais medo de coisas bobas e infantis, como palhaços do mal.

Menos quando está caindo uma tempestade muito forte em uma noite bem escura e eu vejo umas sombras estranhas...

Enfim! Falei algo do tipo: "Foi mal, Brianna! Não tenho dinheiro. A gente vai ter que esperar a mamãe voltar".

"Mas *eu* posso pagar!", ela resmungou. "Com o meu dinheiro especial para bebês unicórnios daquela fonte mágica. Sou praticamente uma mulher RICA! Quero ir na QUEIJINHO DERRETIDO! AGORA!!"

Foi quando percebi que os bolsos dela estavam cheios de moedas da fonte.

Minha irmã NÃO ERA "praticamente uma mulher rica".

Mas ela TINHA juntado trocados suficientes para comprar uma pizza média de calabresa e refri.

UHUU!! ☺!!

A pizza estava bem boa! Pelo menos para uma pizza da Queijinho Derretido.

Quando estávamos terminando de comer, a garçonete pegou um papel com um número de dentro de uma caixa e anunciou, superempolgada, que as pessoas da mesa 7 eram as "sortudas da vez" que ela tinha sorteado para subir no palco e cantar a música "Adoro a Queijinho Derretido".

E eu, tipo: "Ah, NÃO!!" Eu e a Brianna estávamos na mesa 7 ☹!!

De jeito NENHUM eu subiria no palco na frente de todas aquelas pessoas para cantar aquela música besta. E deixei isso BEM CLARO para a garçonete simpática.

E aí, claro, a Brianna ficou toda irritadinha com essa história.

Ela fez um escândalo no restaurante e — saca só — SE RECUSOU A PAGAR PELA COMIDA!!!!

AI, MEU DEUS!

Nunca passei TANTA vergonha em toda minha vida!

Entrei em pânico, porque tudo que eu tinha no bolso eram 39 centavos e uns fiapos da calça.

E a parte mais ASSUSTADORA era que a brincadeirinha besta da Brianna ia colocar NÓS DUAS na CADEIA!

E SIM! Eu sei que passar um tempo na prisão é a última moda no mundo das celebridades jovens e mimadas.

Você conhece o tipo. A infame baladeira metida a modelo e atriz que consegue se tornar tanto uma ESTRELA como uma EX-PRESIDIÁRIA antes de completar 21 anos.

Ela realmente acredita que está acima da lei, porque na cabecinha dela os ÚNICOS CRIMES contra a humanidade são:

1. Bolsas de grife falsificadas
2. AMIGAS FALSAS
3. Pessoas com pelos na orelha ou no nariz

Então, no desespero, fiz o que tinha de ser feito.

Ou seja, cantar a música "Adoro a Queijinho Derretido" com a Brianna para que ela pagasse a nossa conta.

Ainda bem que a maioria dos clientes ali eram crianças com seus pais. Não vi ninguém conhecido do colégio.

Assim que subimos no palco e consegui superar a sensação de vergonha extrema e náusea moderada, tive que admitir que a experiência toda até que foi BEM DIVERTIDA!!

A plateia parecia estar adorando, então eu e a Brianna resolvemos BOTAR PARA QUEBRAR!

A gente começou a fazer uns passos iguais aos da Beyoncé, e a plateia estava vibrando muito!

Foi quando aconteceu a coisa mais HORRÍVEL e PAVOROSA do mundo...

MACKENZIE HOLLISTER!

Ela tinha acabado de chegar com a irmã menor, a Amanda, e a melhor amiga, a Jessica.

A Jessica estava apontando para mim e gargalhando, como se eu fosse a maior piada desde o pintinho que explodiu.

Fiquei totalmente SURTADA quando percebi que a MacKenzie estava com o celular na mão e parecia estar tirando uma foto ou algo assim.

Agarrei a Brianna e praticamente a arrastei para fora do palco.

"NÃÃÃO! Me solta!", ela gritou. "A música nem acabou ainda! A gente tem que mandar beijinhos pra plateia e..."

"Brianna! Vamos embora!", bufei, quase sem fôlego. "A mamãe deve estar esperando a gente lá na fonte!"

Mas, antes de chegarmos à porta, a Amanda correu e entregou uma caneta e um guardanapo para a Brianna. "Eu NUNCA conheci uma pop star de verdade antes! Pode me dar um autógrafo?", ela pediu.

A Brianna ficou radiante. "CLARO! Vou te dar DE GRAÇA! E vou desenhar o meu bebê unicórnio também! É um unicórnio de verdade, posso cavalgar nele se eu quiser. Ele voa!"

Os olhos da Amanda se arregalaram até ficarem do tamanho de um pires. "VOCÊ tem um bebê unicórnio DE VERDADE?! Posso ver?!"

Fiquei CHOCADA de ver a Brianna mentindo daquele jeito. Lancei um olhar furioso para ela, que mostrou a língua para mim.

"Bom, eu AINDA não tenho. Mas vou comprar um no mercado assim que a minha mãe voltar com a nossa torradeira nova. Sabe por que ela foi comprar isso?! Porque uma idiota derramou suco de laranja na torradeira antiga e ela explodiu e destruiu a nossa casa. CABUM!!"

"Brianna!", briguei com ela. "Vamos! AGORA!!"

Na verdade, eu só estava tentando sair dali antes que a MacKenzie chegasse. Mas não deu certo.

"AI, MEU DEUS!! Nikki! Isso foi tão engraçado!", a MacKenzie ganiu. "Foi mais nojento do que maionese estragada!"

"É, você teve muita coragem para subir no palco e se humilhar na frente de TODO MUNDO desse jeito!", completou a Jessica.

Apenas revirei os olhos.

Eu sabia que não era uma cantora ou dançarina profissional, mas a plateia pareceu ter gostado do show. E desde quando a MacKenzie e a Jessica se tornaram especialistas no assunto?

"Ah, por favor! Vocês não reconheceriam o talento nem se ele aparecesse aqui com um crachá, se apresentasse e desse um tapa na cara de vocês!", retruquei.

A MacKenzie e a Jessica ficaram só me olhando. Acho que ficaram surpresas, porque geralmente eu apenas ignorava as duas ou falava alguma coisa dentro da minha cabeça, que ninguém mais podia escutar.

Mas ninguém aguenta tanta ofensa sem revidar.

"Além disso", continuei, "não tem mais do que cinquenta pessoas aqui. Eu não chamaria isso de TODO MUNDO."

"Bom, VAI SER quando eu postar isso aqui no YouTube", a MacKenzie falou, sorrindo com desprezo enquanto esfregava a câmera na minha cara. "Nikki Maxwell, AO VIVO na Queijinho Derretido!! Pode me agradecer por lançar a sua carreira de pop star NEM UM POUCO talentosa!"

Então a MacKenzie e a Jessica gargalharam histericamente da piada espertinha que ela fez.

Fiquei ali parada, em choque. Será que a MacKenzie faria mesmo uma coisa dessas comigo?!

Algo tão... SINISTRO e tão... CRUEL?!

De repente, senti o estômago embrulhar. Ele fez uns ruídos que pareciam os da fonte de chocolate na festa da MacKenzie.

Parecia que eu tinha engolido uma meia suja e depois tomado um copão de suco de picles morno para ajudar a descer.

Se eu não saísse dali naquele instante, a MacKenzie e a Jessica teriam um SEGUNDO vídeo para postar no YouTube. Um vídeo comigo VOMITANDO pizza velha e suco aguado nas calças jeans de grife delas!

Quando finalmente reencontramos minha mãe, ela ficou surpresa por eu querer tanto ir embora.

Falei para ela que eu não estava me sentindo bem e que tinha desistido de fazer compras com a Chloe e a Zoey.

Então agora eu estou no meu quarto escrevendo sobre tudo que aconteceu e tentando não

SURTAR!

Porque, se a MacKenzie postar no YouTube o vídeo da Queijinho Derretido...

AI, MEU DEUS!!!

Alguém por favor chame a EMERGÊNCIA, porque eu vou ter um ataque cardíaco e MORRER!!

☹!!

DOMINGO, 3 DE NOVEMBRO

Eu estava tão deprimida com o que aconteceu ontem na Queijinho Derretido que não tinha a menor vontade de sair da cama hoje de manhã.

Então pensei... por que me dar ao trabalho?!

E resolvi ficar ali deitada, ENCARANDO a parede e curtindo uma DEPRÊ.

Não sei bem o motivo, mas ter pena de mim mesma faz com que eu me sinta bem melhor ☺!

Finalmente saí da cama, lá pelo meio-dia, e passei o resto da tarde na internet, conferindo o YouTube. Eu entrava no site praticamente a cada dez minutos. Não conseguia me controlar. Era como se estivesse obcecada ou algo assim.

Eu estava torcendo para que a MacKenzie estivesse apenas me enchendo com essa história de postar o vídeo.

Ela ADORA me torturar desse jeito.

Por volta das oito e meia da noite, concluí que toda aquela história era só uma brincadeira idiota para me deixar SURTADA. E o pior é que FUNCIONOU!

A MacKenzie é mais malvada que um cão de guarda e me despreza com todas as forças. Mas ainda bem que ela não chegou a ESSE ponto!

Resolvi conferir uma última vez antes de ir dormir e esquecer a história toda...

Agora era oficial.

NIKKI MAXWELL, AO VIVO NA QUEIJINHO DERRETIDO estava disponível no YouTube para o mundo inteiro assistir!

E já tinha sete visualizações ☹!

Fiquei ARRASADA!

Só me restava fazer uma coisa...

AAAAAHHHH!!!

(Isso era eu gritando no travesseiro!)

Como eu vou encarar o pessoal do colégio amanhã, sabendo que todo mundo vai ficar rindo de mim pelas costas?!

E a Chloe, a Zoey e o Brandon?

Eles são os melhores amigos do universo.

Fiquei morrendo de vergonha de metê-los em mais um capítulo do DRAMALHÃO que é a minha vida.

Uma pergunta não me saía da cabeça...

POR QUE EU?!

☹!!

SEGUNDA-FEIRA, 4 DE NOVEMBRO

DE JEITO NENHUM eu iria para o colégio hoje encarar meu enforcamento em praça pública em forma de vídeo.

Então acordei mais cedo que o normal para preparar meu infame Vômito Faux para Faltar na Escola.

Mas infelizmente isso NÃO foi possível, porque tinha acabado a aveia. E eu, tipo: "AH, QUE MARAVILHA" ☹!!

Quando enfim cheguei ao colégio, estava esperando ser provocada sem dó por todos os alunos, atacada com mil insultos e bombardeada com centenas de piadinhas bestas sobre a Queijinho Derretido.

Mas, para minha total surpresa, ninguém nem sequer mencionou aquele vídeo idiota. AINDA BEM ☺!! Em vez disso, a escola inteira estava superempolgada com o show de talentos anual que vai acontecer em breve no Westchester Country Day, o nosso colégio.

Ele foi marcado para o dia 30 de novembro, um sábado, e neste ano o juiz vai ser o Trevor Chase, o produtor famoso do novo programa de sucesso na TV, *15 minutos de fama*. Parece que o Trevor estudou no WCD!

Os prêmios são bem bacanas também. Quem ficar em primeiro lugar ganha a oportunidade de fazer um teste para o programa de televisão dele. Vai dizer que não é MUITO legal?!

Eu, a Chloe e a Zoey ficamos TOTALMENTE malucas com o show de talentos!

Já combinamos de nos apresentar juntas. Não sabemos ainda o que vamos fazer. Mas com certeza vai ser muito DIVERTIDO ☺!

Eu daria tudo para ser uma cantora rica e famosa!

POR QUÊ?

Porque quando a Nikki Maxwell, estudante do WCD, é ESQUISITA, GROSSEIRA, DESAJEITADA e LOUCA, todo mundo a DETESTA. Ela é chamada de PERDEDORA ☹!

EU, UMA PERDEDORA NADA TALENTOSA DO WCD

Porém, quando a Nikki Maxwell, POP STAR, é ESQUISITA, GROSSEIRA, DESAJEITADA e LOUCA, os fãs a perseguem, ela ganha milhões de dólares e todo mundo a AMA. Ela vira uma LENDA ☺!

EU, UMA LENDÁRIA PRINCESA DO POP NADA TALENTOSA

Enfim, EU VI O BRANDON NA AULA DE BIOLOGIA HOJE!! ÊÊÊÊÊÊÊÊÊÊÊÊÊÊÊÊÊ ☺!!

Bom, na verdade, eu *SEMPRE* vejo o Brandon na aula de biologia. Mas hoje foi extraespecial, porque foi a primeira vez que encontrei com ele depois da FESTA!!

E ele me disse (*DE NOVO*) que curtiu muito sair comigo! ÊÊÊÊÊÊÊÊÊÊÊÊÊÊÊÊÊÊ ☺!!

E saca só!! Ele disse que a gente devia sentar junto na hora do almoço para estudar para a prova de biologia!!! Fiquei vermelha feito um tomate e sugeri que começássemos a estudar para a prova o mais rápido possível.

Tipo... AMANHÃ! ☺!!

Principalmente porque eu levo os estudos MUITO a sério. Ainda mais para a prova de BIOLOGIA!

EU, ESTUDANDO COM O MAIOR INTERESSE TODAS AS MATÉRIAS AO MESMO TEMPO!!

Mas o Brandon disse que não poderia me acompanhar no almoço nas próximas semanas porque o editor do jornal do colégio pediu que ele treinasse o novo fotógrafo.

Sorri para ele e disse algo do tipo: "Humm... beleza! Sem problemas".

Mas, no fundo, fiquei meio decepcionada.

Comecei a achar que ele estava inventando uma desculpa esfarrapada para não ficar ao meu lado na escola.

Então resolvi conversar com a Chloe e a Zoey sobre isso.

A Chloe disse para eu não me preocupar, pois foi o Brandon quem falou de sentar junto no almoço. O que significava que ele queria levar nosso relacionamento para a próxima fase. E a Zoey concordou.

^^^^^^^^^^^^^^^^^^^
ÊÊÊÊÊÊÊÊÊÊÊÊÊÊÊÊÊÊÊ ☺!

Ai, meu Deus! Quase me esqueço de contar que agora tenho MAIS UMA coisa para me tirar o sono à noite. Apareceram dezenas de formigas caminhando na aula de biologia hoje!

A MacKenzie fez um escarcéu sobre o risco de pegar germes das formigas, até que o nosso professor retrucou que, se ela não sentasse e terminasse o relatório do laboratório, a nota dela seria MUITO mais assustadora que qualquer germe de formiga.

Mas e se o problema piorar?! Isso pode virar um desastre! Meu professor pode reclamar para o zelador, que por sua vez pode reclamar para a secretária, que pode comunicar o diretor, que pode chamar...

MEU PAI, O DEDETIZADOR DO COLÉGIO ☹!!!

NÃO. POSSO. ENTRAR. EM. PÂNICO!! Inspira, expira!

ENFIM, antes de eu mesma me interromper, ia falar que a Chloe e a Zoey acham que o Brandon gosta de mim de verdade!

E aquelas formiguinhas parecem CONCORDAR!

TERÇA-FEIRA, 5 DE NOVEMBRO

A MacKenzie é ainda mais CRUEL do que eu pensava!

Eu estava me perguntando por que ela tinha se dado ao trabalho de gravar o vídeo na Queijinho Derretido e postá-lo no YouTube se estava fazendo o maior SEGREDO dele.

Não fazia o MENOR sentido! Mas AGORA entendo por que ela fez isso.

Eu estava na frente do meu armário anotando ideias para o show de talentos quando fui bruscamente interrompida.

"E aí, Nikki! Tenho uma notícia superEMOCIONANTE pra te contar, QUERIDA...!!"

Eu NÃO CONSEGUIA acreditar que a MacKenzie tinha coragem de aparecer na minha frente toda simpática, como se não tivesse tentado DESTRUIR MINHA VIDA três dias atrás!

"Estou montando um grupo para o show de talentos, e preciso de dançarinas supertalentosas que possam se tornar megaestrelas. Aqui tem todas as informações."

Então ela abriu um sorrisão, piscou os cílios superlongos e esfregou uma folha de papel na minha cara...

Apertei os olhos e tentei ler o que estava escrito.

Mas não foi nada fácil, pois ela ficava sacudindo o papel diante dos meus olhos e começou a balançá-lo para frente e para trás.

Para frente e para trás.

Para frente e para trás.

Como se estivesse tentando me **HIPNOTIZAR** para me obrigar a fazer parte de suas **MALDADES** ou algo assim!

Eu soube naquele instante que ela estava tramando alguma coisa.

Precisei de todas as minhas forças para NÃO me render ao brilho incrível da perfeição (ainda que revoltante) dela.

Finalmente agarrei o papel da mão dela e li o que estava escrito.

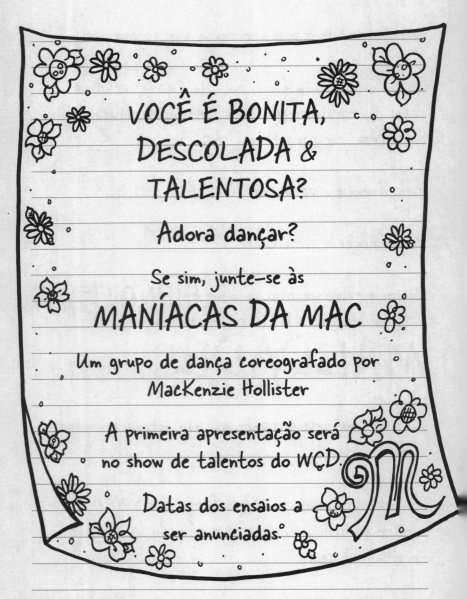

Tive um MAU pressentimento em relação àquela garota e essa história de grupo de dança.

Por que diabos ela ia querer a MINHA participação?

Ainda mais depois que eu, a Chloe e a Zoey tiramos zero no nosso *Balé dos zumbis* na aula de educação física.

Além disso, tinha aquele outro probleminha...

ELA ME ODEIA!!

Depois de ter sofrido uma derrota pública e humilhante na competição de artes, aposto que ela está armando um plano diabólico para vencer no show de talentos.

Ou será que, depois de me ver dançar na Queijinho Derretido, a MacKenzie finalmente percebeu que eu sou supertalentosa e tenho potencial para me tornar uma megaestrela?

Talvez ela quisesse que eu entrasse para o time dela para não ter que COMPETIR comigo.

Comecei a ficar louca só de pensar nisso.

Foi quando me dei conta de que, se eu colaborasse com a MacKenzie no grupo de dança, talvez deixássemos as nossas diferenças de lado e *finalmente* nos tornássemos amigas.

Seria ótimo NÃO TER mais que aguentar os xingamentos dela ou me preocupar com ela se metendo nos meus assuntos.

Tentei até me convencer de que fazer parte da turma da MacKenzie não seria tão ruim.

Desde que eu me acostumasse com a personalidade antipática da garota.

E com seu ego gigantesco.

E com o vício que ela tem em gloss labial.

E com o fato de que ela tem o QI de uma planta de plástico.

Até me imaginei fazendo o tipo de coisa que as GDPs (garotas descoladas e populares) sempre se gabavam de fazer.

Como curtir a praia na casa de verão da MacKenzie, nos Hamptons.

Eu com certeza convidaria minhas amigas para curtir uma praia COMIGO! Se eu tivesse uma casa na praia...

Finalmente, decidi que daria uma chance à MacKenzie.

A Chloe, a Zoey e eu íamos nos divertir muito dançando juntas no grupo dela.

Seria como o nosso *Balé dos zumbis*, só que MELHOR! Fiquei com o coração cheio de alegria e entusiasmo só de pensar ☺!!

Aí a MacKenzie pegou seu novo gloss, diva dançarina decadente delícia, aplicou mais uma camada e me encarou com seus olhos azul-gelo.

"Então, Nikki... Se você conhecer alguma dançarina supertalentosa que possa se tornar uma estrela, tipo, ããã... a CHLOE e a ZOEY, entregue esse panfleto, tá?"

E meu cérebro, tipo: "Mas o quê...?! Ela disse 'Chloe e Zoey'?!"

Pelo jeito, aquela fuinha loira queria SÓ a Chloe e a Zoey no grupo de dança, e não EU!

Ei, admito NA BOA que a Chloe e a Zoey são dançarinas supertalentosas, talvez entre as melhores do colégio.

Mas que diabos a MacKenzie achava que eu era? FÍGADO FATIADO?! FEIJÃO REQUENTADO?!!

Era como se ela tivesse me dado uma pancada na cara. Com um cano de aço ou algo assim.

"Ãã... tá bom", murmurei. "Vou falar para a Chloe e a Zoey. Mas, só para você saber, nós três já estávamos planejando fazer algo juntas para o show de talentos."

"Bom, então acho que você vai ter que MUDAR seus PLANOS! Quero muito participar do teste para o 15 minutos de fama. E se a Chloe e a Zoey dançarem COMIGO, em vez de acompanhar uma PERDEDORA sem talento como VOCÊ, vou ficar fácil em primeiro lugar."

NÃO DAVA para acreditar que a MacKenzie estava falando isso na minha cara.

"GAROTA, POR FAVORRRR!", retruquei, enquanto dava aquela balançadinha de pescoço que aprendi com a Tyra Banks e pratiquei um tempão na frente do espelho. "Você deve estar delirando ou algo assim. Ou quem sabe os grampos do seu cabelo estão tão apertados que acabaram com o oxigênio do seu cérebro. Apesar do que dizem as vozes na sua cabecinha, nós NÃO somos seus monstrinhos de estimação! Sugiro que você encontre outras marionetes para comandar!"

A MacKenzie ficou tão brava que achei que ia me dar uma pancada na cabeça com sua bolsa nova da Chanel.

"Tô avisando, Maxwell!", ela ameaçou. "Se você se atrever a me olhar torto, vou fazer o possível para garantir que todo mundo veja o vídeo da Queijinho Derretido. Você nunca mais vai ter coragem de pisar no colégio, de tanto que vão rir da sua cara. Até seus amiguinhos, a Chloe, a Zoey e o Brandon, vão ficar com vergonha de andar com você!"

"É um show de talentos, MacKenzie. Você alguma vez já pensou em tentar ganhar o prêmio usando o seu... ãã... TALENTO? Ou isso não é possível, porque você não tem talento nenhum?"

Ela deu um passo na minha direção e colocou as mãos na cintura. "Pensando bem, acho que vou espalhar uma mensagem de celular contando para todo mundo o seu grande segredo. Que você nem devia estar neste colégio, e que o seu pai..."

"TANTO FAZ!", gritei. "Como se eu ligasse para o que as pessoas pensam de mim neste colégio!"

Mas é claro que eu ligo. E só de imaginar as ameaças dela se concretizando, comecei a suar frio. Minha garganta estava tão apertada que eu mal conseguia respirar.

"Fala sério, MacKenzie! O show de talentos NÃO É tão importante assim pra mim, e não estou nem um pouco a fim de aguentar todo esse drama só por causa dele."

"Bom, pra MIM é importante! Eu MEREÇO meus quinze minutos de fama, então fique fora do meu caminho."

Aí a MacKenzie deu um sorriso bem falso, jogou o cabelo em cima de mim (como se ela fosse a última bolacha do pacote) e franziu aquele narizinho perfeito dela.

"AI, MEU DEUS! Que cheiro HORRÍVEL é esse?! Acho que o fedor do seu perfume barato está começando a ficar mais forte que a minha fragrância de grife. O que você passou hoje de manhã, perfume de miojo de queijo?!"

Rangi os dentes e revirei os olhos. Agora virou crime comer miojo de queijo no café da manhã?! Tinha acabado o cereal!! ☹!

Então a MacKenzie se virou e saiu rebolando pelo corredor. ODEIO quando ela faz isso!!

Eu ia abrir meu armário quando fui praticamente atropelada por um grupo enorme de GDPs.

"AI, MEU DEUS, MacKenzie! A gente ficou sabendo do seu grupo de dança!"

"Todo mundo sabe que você vai ganhar!"

"As Maníacas da Mac são o MÁXIMO! Posso fazer parte?"

"Espera aí, MacKenzie! Espera!"

Elas saíram correndo atrás dela como se fossem filhotes de pata... de gloss... sem cérebro... e zumbis!

Fiquei ali parada, olhando para o meu armário feito uma IDIOTA. Eu me senti TÃO HUMILHADA!

Lágrimas quentes brotaram nos meus olhos e fiz força para contê-las.

Então, em vez de chorar, decidi rasgar o panfleto da MacKenzie em milhões de pedacinhos.

A partir daquele momento, decidi que nunca ia querer ter NADA A VER com a MacKenzie. Ou com aquele show de talentos idiota!

Vou ficar TÃO feliz quando este dia HORRÍVEL terminar. ☹!!

QUARTA-FEIRA, 6 DE NOVEMBRO

Estou tão cansada de ter a MacKenzie tentando me manipular que tenho vontade de

GRITAR!

Não acredito que ela está tentando me impedir de participar do show de talentos.

Ela está OBCECADA por ganhar o concurso. O ego dela é TÃO GRANDE que chega a ter estrias!

Acho que a melhor coisa que posso fazer é evitá-la como se ela fosse a peste bubônica. O que NÃO VAI ser fácil, pois meu armário fica ao lado do dela.

Concluí que contar sobre o vídeo para os meus pais só ia piorar as coisas.

Minha mãe ia ficar horas falando sobre como eu e a Brianna somos talentosas e FOFAS, e provavelmente ia mandar o link por e-mail para meio milhão de pessoas.

E, claro, se eu contasse para a Chloe e a Zoey, a PRIMEIRA coisa que elas fariam seria assistir ao vídeo.

O que seria SUPERconstrangedor!!!

E se o Brandon visse... AI, MEU DEUS!!

Ele ia perceber que eu sou uma PERDEDORA ☹!

RECADINHO PARA MIM MESMA: Continuar conferindo o vídeo todos os dias para controlar quantas vezes ele foi visto.

Como se tudo já não estivesse uma confusão, hoje foi a segunda vez na semana que vi um monte de insetos no colégio.

Contei nove marias-fedidas gigantescas no vestiário feminino enquanto me trocava depois da aula de educação física.

Uma delas voou no meu cabelo e eu fiquei completamente SURTADA!

Claro, a MacKenzie e as GDPs quase desabaram no chão de tanto rir da minha cara.

Ainda bem que a Chloe e a Zoey estavam lá para me ajudar. Elas são as melhores amigas DO MUNDO!

Por mais louco que pareça, é por causa dos INSETOS que eu NUNCA vou me adaptar a esse colégio. Isso porque eu tenho um

SEGREDO TENEBROSO!!

Eu só frequento esse colégio particular chique porque o meu pai conseguiu uma bolsa de estudos para mim, como parte de seu CONTRATO DE DEDETIZAÇÃO!

AI, MEU DEUS!! Eu tenho TANTA VERGONHA disso que nunca contei nem para a Chloe e a Zoey. Ainda!

Na verdade, eu estudo no WCD há quase três meses e nenhum aluno sabe do meu segredo.

Quer dizer, tirando a... MACKENZIE HOLLISTER ☹! E ela descobriu sem querer.

É que teve uma manhã em que eu estava atrasada e só conseguiria chegar a tempo para a aula se pegasse carona na van do meu pai. Sempre fiquei meio preocupada de andar com ele naquela van, pois o carro está velho, precisa de uns reparos e tem um monte de coisa errada — a pior de todas é o fato de que tem uma barata GIGANTESCA no teto.

As pessoas param no meio da rua, chocadas, para olhar a barata.

Olha, ela piscou!

Que não só é horrível de feia, mas passa uma sensação... ESQUISITA.

Enfim, quando meu pai me deixou na frente do colégio, eu estava superfeliz e aliviada que ninguém tinha me visto chegando na van.

Mas aí a Mackenzie apareceu DO NADA. Como se fosse uma versão DEMONÍACA daqueles palhaços de brinquedo que saltam da caixa para dar um susto.

Quando vi que ela estava ali parada, quase tive um ataque cardíaco!

Era como se uma espinha enorme, horrorosa e infeccionada tivesse surgido de repente na ponta do nariz da... MINHA VIDA!!

Ela me olhou com uma cara de espanto e perguntou: "O que é essa coisa marrom horrorosa em cima da sua van...?!"

Apenas revirei os olhos, porque aquela foi a pergunta mais IMBECIL que eu ouvi em toda minha vida.

Era ÓBVIO para qualquer pessoa com CÉREBRO que se tratava de uma barata, e que estava ali no teto da van para... ããã... fazer coisas muito importantes... que... NÃO ERAM da conta da MacKenzie!!

Mas o mais estranho foi que ela não voltou a falar sobre o meu pai até ontem.

E ela é uma das maiores fofoqueiras do colégio.

Já ouvi alguns alunos dizerem que a MacKenzie é tão rica que nasceu com uma colher de prata na boca.

QUE NADA!! A boca da MacKenzie é tão grande que ela nasceu com uma PÁ de prata enfiada nela!

NÃO DÁ para confiar nessa garota! ☹!!

QUINTA-FEIRA, 7 DE NOVEMBRO

SOCORRO!! Ainda são sete e meia da manhã e meu dia já está um

DESASTRE COMPLETO !!

Estou começando a achar que mudar de colégio não seria uma má ideia.

O que, por sinal, provavelmente deixaria a MacKenzie SUPERFELIZ!

Acordei mais cedo hoje para terminar a tarefa de geometria.

Estava só relaxando, comendo uma tigelona de cereal e sonhando acordada, pensando no BRANDON...

...quando o telefone tocou.

Tive um mau pressentimento antes mesmo de atender.

Então, quando percebi quem era, quase tive um ataque cardíaco ali mesmo!

EU ↓

O QUE EU DISSE: Alô...

O QUE ELE DISSE: Oi, aqui é o diretor Winston. É da Maxwell Exterminadora de Insetos? Estou ligando porque estamos com um problema com insetos no colégio, e eu estou um pouco preocupado.

O QUE EU DISSE: (GLUP!) Ãã̃ã̃...

Você ligou para a Maxwell Exterminadora de Insetos. Infelizmente não podemos atender no momento. Por favor, deixe um recado após o bipe que retornaremos a sua ligação. Ãã̃ã̃... BIIIIIIIIIIIIIPE!

O QUE ELE DISSE: Oi, aqui é o diretor Winston, do colégio Westchester Country Day. Precisamos dos seus serviços para resolver um problema terrível com insetos. Você poderia passar no meu escritório amanhã, durante o horário de aula? Darei todos os detalhes quando nos encontrarmos. Obrigado!

DIRETOR WINSTON →

68

Ainda atordoada, desliguei o telefone, peguei minha caneta da sorte e preenchi um cartão de recado para o meu pai.

PARA: PAI   **URGENTE** ☒

DATA: Quinta, 7 nov.   : 7:15   Ⓜ Ⓣ

ENQUANTO VOCÊ NÃO ESTAVA

DE: Diretor Winston

DO/A: COLÉGIO WCD

TELEFONE: Você já tem
DDD   NÚMERO   RAMAL

TELEFONOU	☒	FAVOR LIGAR	
VEIO AQUI		VAI LIGAR DE NOVO	
RETORNOU LIGAÇÃO		QUER VER VOCÊ	☒

MENSAGEM: Quer que você vá até o WCD para resolver problema com insetos. Passar no escritório dele durante o horário de aula, sexta, 8 de novembro.

ASSINADO: NIKKI ☺

Foi quando *ENFIM* caiu a ficha sobre o HORROR da situação, e eu

PIREI COMPLETAMENTE!

NÃAÃÃO!!!

← EU GRITANDO EM PÂNICO

Fiquei, tipo: "AI, MEU DEUS! AI, MEU DEUS!"

O diretor quer que o meu PAI vá à minha

ESCOLA

resolver o PROBLEMA COM OS INSETOS?!!

Meu estômago embrulhou, como se eu tivesse acabado de comer uma pizza da Queijinho Derretido ou algo assim.

E achei que eu fosse desmaiar.

Porém, em vez de esperar para MORRER de vergonha no colégio, resolvi tomar a iniciativa e acabar logo com aquilo ☹!

Me AFOGANDO ☹!

Na minha deliciosa tigela de cereal ☺!!!

Sei que parece uma ideia MALUCA. Mas eu já tinha experimentado isso com a Bicuda, a boneca da mão da minha irmã, e funcionou. Mais ou menos.

EU TENTANDO DESESPERADAMENTE AFOGAR AS MÁGOAS NA TIGELA DE CEREAL!

Porém, apesar dos meus esforços, eu *AINDA* continuei bem VIVA.

Fiquei tão frustrada com a situação que tive vontade de GRITAR! Mais uma vez.

Até porque fiquei com meia xícara de cereal empapado enfiada no nariz.

AI, MEU DEUS! Devo ter espirrado cereal pelo nariz por, tipo, uns dez minutos!

Espalhei aqueles floquinhos molengos por todas as paredes e no teto, como se fossem ranhos coloridos ou algo assim.

Não acredito que o diretor Winston quer que o meu pai passe no escritório dele amanhã para marcar uma dedetização!!!

Prefiro MUDAR DE COLÉGIO a deixar meu pai me HUMILHAR passeando por aí com seu MACACÃO vermelho (que, por sinal, tem o MEU sobrenome escrito nas costas) e MATANDO INSETOS na frente de TODOS os alunos ☹!!

Todo mundo vai achar que ele se esqueceu de tomar os remedinhos, ou algo assim.

Decidi nomear oficialmente o meu colégio como uma...

ZONA LIVRE DE PAI!!

DE JEITO NENHUM VOU CONTAR A ELE SOBRE A LIGAÇÃO DO DIRETOR!!

Simplesmente NÃO VAI rolar!!

Já que o meu pai vai faltar ao compromisso, tomara que o diretor Winston contrate outra pessoa para resolver o problema do colégio com os insetos.

Eu JÁ TENHO bolsa de estudos.

O que o Winston pode fazer? Me expulsar do nada?! No meio do semestre?! DUVIDO!!

Acho que vou usar minhas meias da sorte amanhã.

Ei, vou precisar de toda a ajuda do mundo.

☹!!

SEXTA-FEIRA, 8 DE NOVEMBRO

Fiquei com os NERVOS À FLOR DA PELE o dia todo!

Eu me senti superculpada por não ter dado o recado ao meu pai.

Mas, mais do que isso, eu estava

MORRENDO DE MEDO

de encontrar o DIRETOR WINSTON nos corredores.

Não tenho nada contra ele. Ele é meio estranho, claro. Mas a MAIORIA dos professores e diretores é assim.

Também, quem não ficaria COMPLETAMENTE DOIDO depois de dez ou quinze anos trabalhando numa escola?!!

Só frequentar o colégio como ESTUDANTE por alguns anos já pode causar sérios traumas psicológicos ☹!

Enfim, eu estava com medo de que o Winston viesse falar comigo sobre a reunião com o meu pai e a dedetização.

Foi quando resolvi que seria superimportante adotar um disfarce bem inteligente e perspicaz para que o Winston não me reconhecesse.

Mas, infelizmente, eu não tinha muito material disponível. Apenas o meu moletom com capuz que-não--era-do-shopping (com fiapos e bolinhas), um pouco de imaginação e um bom tanto de desespero...

EU, USANDO UM DISFARCE INTELIGENTE E PERSPICAZ

Não só era simplesmente genial, como também era confortável e DE GRAÇA!

Por sorte, meu disfarce funcionou muito bem ☺!

Quando o diretor Winston me viu depois da aula de francês, não percebeu que era EU! E não mencionou o meu pai ou a dedetização, AINDA BEM ☺!

Ele só pareceu um pouco transtornado. Provavelmente porque o fiquei encarando para testar meu disfarce.

Então, o diretor Winston fez a coisa mais estranha do mundo.

Ele deu uma pigarreada bem alta e me disse para faltar na aula seguinte e ir DIRETO para a sala dele, onde pegaria uma autorização para passar quatro horas com a coordenadora!

No início, achei que ele estava brincando ou algo assim.

Mas depois me dei conta de que ele REALMENTE acreditava que eu era uma pessoa com problemas mentais GRAVES!!

Que LOUCURA, não é?!

Porém, a boa notícia é que eu mataria quatro horas de aula! ÊÊÊÊÊÊÊÊÊÊ ☺!!

Claro que eu ajeitei o capuz ANTES de entrar na sala da coordenadora. Eu não queria que ELA também me confundisse com uma esquisita com problemas mentais graves.

Nós conversamos sobre como andavam minhas aulas e demos uma olhada nos meus horários do próximo semestre. Depois do almoço, ela me fez assistir a um vídeo chatíssimo sobre planejamento de carreira.

As quatro horas passaram bem rápido e, quando percebi, ela já tinha me dado uma autorização para voltar para a sala de aula.

Eu queria muito encontrar a Chloe e a Zoey para contar a empolgante novidade do diretor Winston me mandando para a sala da coordenadora.

Mas as aulas já estavam quase acabando e era hora de voltar para casa. ÊÊÊÊÊÊÊÊÊÊ ☺!!

O melhor de tudo foi que o diretor Winston NEM SEQUER mencionou o meu pai! E o meu pai NÃO apareceu no escritório dele!

Meu dia foi salvo por meu perfeito planejamento estratégico, além do meu disfarce espertíssimo!

Sou ou não sou GENIAL?!! ☺!!

SÁBADO, 9 DE NOVEMBRO

Hoje minha mãe apareceu com uma ideia idiota de que precisamos ter um "tempo em família".

Ela nos explicou pacientemente que "passar um tempo juntos, fazendo um programa de qualidade planejado com antecedência, fortaleceria o amor, o respeito e os laços entre os familiares".

Eu expliquei a ELA pacientemente que ela precisa PARAR de assistir ao programa do dr. Phil.

Como fomos obrigados a participar do tempo em família, sugeri que tentássemos realizar algum daqueles ESPORTES RADICAIS maneiros que mostram na MTV.

Sabe, do tipo que você faz usando um capacete cheio de desenhos fofos, como corações ou arco-íris.

Afinal, é importante estar bonita quando você quebrar uma perna ou fraturar o crânio.

Acho que seria superempolgante, divertido e educativo se toda a minha família fosse saltar de BUNGEE JUMP ☺!

MINHA FAMÍLIA SALTANDO DE BUNGEE JUMP

Tá bom, talvez a ideia de saltar de bungee jump em família NÃO SEJA tão boa!

Como já era esperado, meus pais reclamaram que esportes radicais são muito perigosos.

Mas essa foi uma desculpa bem esfarrapada, pois o tempo em família pode ser dez vezes mais LETAL do que todos os esportes radicais juntos!

Como a atividade que eles planejaram para hoje.

Meus pais anunciaram superanimados no café da manhã que nós íamos andar de canoa.

Quase engasguei com o meu waffle!

(O que não teve nada a ver com o fato de que íamos andar de canoa. É só que eu como muito rápido e costumo engasgar com a comida constantemente.)

Enfim, meu pai tinha comprado uma canoa caindo aos pedaços num bazar por três dólares.

Ele estava determinado a usá-la antes que chegasse o inverno e todos os lagos congelassem.

E eu, tipo: "Três dólares?! Pai, você tá MA-LU-CO?!! Você gasta mais do que isso num queijo quente na padaria!"

Mas isso tudo eu disse dentro da minha cabeça, então só eu mesma escutei.

Que tipo de IDIOTA se arriscaria a levar a família para um lago fundo usando uma canoa comprada num bazar pela BAGATELA de três dólares?!!

Tá, vou reformular a pergunta...

Que tipo de idiota... ALÉM do meu PAI?! Eu amo o meu pai e tudo o mais, mas às vezes fico REALMENTE preocupada com esse cara!

Até uma canoa minúscula de plástico cor-de-rosa para a boneca da Brianna custa MAIS de três dólares!

Só tô dizendo...!

Mas o que era realmente assustador era que o meu pai não sabe nada sobre canoas.

E, como ele comprou em um bazar, a canoa não veio com manual de instruções, garantia, NADA DISSO!

Quando comentei que estava preocupada, meu pai revirou os olhos e disse: "Ei! Eu não preciso ser um gênio da ciência para encontrar o botão de ligar e desligar".

Enfim, minha mãe fez sanduíches de pasta de amendoim e geleia, meu pai colocou as coisas no carro e partimos em direção a uma baía muito popular entre quem anda de barco.

Como eu esperava, nosso evento logo se transformou num enorme DESASTRE.

Basicamente porque o meu pai só percebeu que uma canoa precisa de remos DEPOIS que já estávamos na água.

Daí ele ficou todo irritadinho porque a canoa DELE não vinha com remos NEM com um botão de ligar e desligar (DÃ!).

E deve ter sido POR ISSO que ela custou só três dólares.

Mas preferi não lembrar o meu pai disso, pois ele estava num mau humor tremendo.

Então lá ficamos nós, boiando no lago por o que pareceu uma ETERNIDADE!

Ainda bem que estava um dia estranhamente quente, senão a gente teria tido uma hipotermia ou algo assim.

De repente, o rosto do meu pai se iluminou, e eu soube naquele instante que ele tinha tido mais uma de suas ideias MALUCAS.

Ele pegou um longo pedaço de pau que estava flutuando na água. Aí tirou a camisa, amarrou no pedaço de pau e deixou que ela balançasse ao vento.

Acho que ele estava tentando transformar nossa canoa sem remos num barco à vela ou algo do tipo.

Mas, como boa parte de suas ideias, não funcionou da maneira que ele esperava.

Sempre que o vento batia, a canoa girava muito rápido, como se fosse um brinquedo endiabrado em um parque de diversões.

Claro que todos nós ficamos um pouco irritados com a situação.

Mas, graças ao meu pai, agora estávamos IRRITADOS, ZONZOS e ENJOADOS ☹!

E a minha mãe conseguiu esgotar o ÚLTIMO fio de paciência que me restava!

Como uma eterna otimista, ela começou a tentar nos animar sugerindo que cantássemos a música "Rema, rema, rema, remador"!

Foi quando eu perdi a cabeça e gritei: "Mãe, você tá viajando?! Você ainda não percebeu que a gente não tem nenhum REMO? Como vamos fazer para REMAR, REMAR, REMAR?!"

Mas isso tudo eu disse dentro da minha cabeça, então só eu mesma escutei.

E a Brianna NÃO calava a boca! Tive que me segurar para não estrangular a minha irmã.

Ela ficava reclamando SEM PARAR das coisas MAIS IDIOTAS...

Tudo bem, eu amo a minha família e tal. Mas às vezes acho que eles são, ããã...

PRATICAMENTE UM CIRCO!!

Para a nossa sorte, alguém avistou a vela improvisada do meu pai e achou que aquilo era um pedido de ajuda.

Apesar de a nossa atividade de tempo em família ter começado muito mal, tenho de admitir que acabou sendo tão emocionante quanto qualquer esporte radical.

POR QUÊ? Porque ser resgatada de helicóptero pela Guarda Costeira foi de arrepiar!

E ser levada de volta para o nosso carro na lancha reluzente e super-rápida da polícia foi EMOÇÃO PURA!

Quando finalmente chegamos em casa, fiquei surpresa de ver que tinha uma mensagem da Chloe e da Zoey na secretária eletrônica.

"E aí, Nikki, beleza? Aqui é a Chloe e a Zoey! Estamos ligando para saber se você está livre hoje ou amanhã para ensaiarmos a nossa apresentação do show de talentos. Se estiver, dá uma ligada! A gente tá louca pra começar!"

E eu, tipo: "Que ótimo... ☹!" Eu queria muito participar do show de talentos com elas, mas a MacKenzie ia arruinar a minha vida se eu fizesse isso.

Mais cedo ou mais tarde eu teria que contar às minhas melhores amigas que não poderia dançar com elas.

Mas eu estava tão cansada da viagem que só queria tomar um banho quente e me enfiar debaixo das cobertas.

Resolvi que falaria com elas... MAIS TARDE!

Eu me pergunto se o meu pai já descobriu que canoas NÃO têm botão de ligar e desligar...

DOMINGO, 10 DE NOVEMBRO

Eu e a minha mãe estamos nos arrumando para ir ao shopping comprar roupas novas. Mal posso acreditar!

Acho que preciso agradecer à Brianna, já que ela é basicamente a pessoa responsável por isso.

Tudo começou quando a minha mãe deu um kit de pintura e um cavalete para a minha irmã. Ela disse que isso ajudaria a Brianna a desenvolver seus talentos artísticos.

Então a Brianna começou a pintar, e a minha mãe espalhou os desenhos pela casa toda.

Mas o que me deixou surtada foi o desenho enorme que ela fez de MIM.

Eu não conseguia acreditar que a minha mãe tinha pendurado aquilo na geladeira.

E se um estranho aparecesse na nossa casa e visse o desenho da Brianna pendurado ali?!

Ei, esse tipo de coisa pode acontecer!!

Mas o pior é que o retrato que ela fez realmente feriu minha autoestima.

Eu sei que não sou supergata como as GDPs do colégio. Mas POR FAVOR, né?! Sério que o meu rosto parece com o de uma pessoa que acaba de ser atropelada por um ônibus?!

E, como se isso não fosse ruim o bastante, a Brianna é uma artista muito desastrada. Ela suja TUDO de tinta!

Quase morri quando ela conseguiu espirrar tinta na minha blusa favorita.

AI, MEU DEUS! Tive um chilique ali mesmo.

Tá bom, eu admito. A mancha de tinta na minha blusa ERA meio pequena.

Mas, da última vez que vi aquelas séries de tribunal na TV, a juíza disse claramente que "os pais são responsáveis pelos danos causados por seus filhos à propriedade de terceiros. E essa é a LEI, seus @#$%& IDIOTAS!!" Ou algo assim.

E todo mundo sabe que juízes de TV são muito justos e imparciais. Além de ranzinzas e talvez um pouco caducos!

É claro que a minha mãe ficou do lado da Brianna, como sempre. Ela disse: "Nikki, tenho certeza de que foi um acidente. Prometo que vou trocar tudo que ela manchar de tinta, tá bem?"

Eu só olhei para ela e revirei os olhos.

"Ah, tá bom! E se a Brianna manchar TODAS as minhas roupas? Você vai me comprar um guarda-roupa inteiro?!" Mas isso tudo eu disse dentro da minha cabeça, então só eu mesma escutei.

De repente, tive uma ideia brilhante. Resolvi incentivar a criatividade da Brianna achando coisas para ela pintar.

Dei a minha blusa para ela começar. Então subi ao meu quarto e enchi um cesto de roupa suja com a maior parte das minhas roupas.

Eu me senti superbem de ajudar a minha irmã a desenvolver suas habilidades artísticas.

Minha mãe ficou chocada quando descobriu que a Brianna tinha pintado quase todas as minhas roupas.

Claro, eu não contei que isso tinha sido ideia MINHA ☺!

Minha mãe fez o possível para escapulir da promessa que tinha feito de substituir as roupas que a Brianna sujasse de tinta. Porém eu lembrei a ela que sou uma jovem impressionável, que ainda está aprendendo sobre a vida, então era fundamental que eu recebesse lições dos meus pais sobre honestidade, integridade e a importância de cumprir com a palavra.

O tipo de bobagem que aprendi em programas de TV.

Enfim, minha mãe se sentiu TÃO culpada que decidiu cumprir a promessa.

E graças a isso vou sair para...

COMPRAR SEM PARAR!
^^^^^^^^^^ ÊÊÊÊÊÊÊÊÊÊÊ ☺!!

Por sinal, eu finalmente retornei a ligação da Chloe e da Zoey.

Falei para elas que, apesar de a gente não ter conseguido se reunir para ensaiar no fim de semana, podíamos nos encontrar amanhã na biblioteca para discutir nossos planos.

Isso significa que terei de tomar uma decisão até amanhã!!

O que será que eu faço???!!!

Estou tão CONFUSA! Parece que o meu cérebro vai EXPLODIR!!

SEGUNDA-FEIRA, 11 DE NOVEMBRO

Eu, a Chloe e a Zoey não precisamos ir à sala de estudos com os outros alunos, pois trabalhamos como assistentes de organização da biblioteca, ou AOBs. Nós AMAMOS o nosso trabalho!

EU, A CHLOE E A ZOEY TRABALHANDO PESADO NA ORGANIZAÇÃO DOS LIVROS DA BIBLIOTECA (BEM, NÃO TÃO PESADO...)

Quando terminamos de guardar os livros nas prateleiras, a Zoey sugeriu que decidíssemos o que fazer na nossa apresentação no show de talentos.

Foi quando a Chloe começou a fazer o que parecia a dança da galinha.

Isso significava que ela tinha acabado de ter uma EXCELENTE IDEIA para o show.

"AI, MEU DEUS! Acabo de ter uma ideia FANTÁSTICA! A gente podia fazer uma coreografia irada sobre livros. Nós seríamos as LAGARTAS DE BIBLIOTECA QUE DANÇAM BREAK!", exclamou a Chloe, toda entusiasmada.

"ADOREI! ADOREI!", a Zoey apoiou. "A gente pode fazer umas fantasias verde-limão de lagartas. E a gente podia fazer um rap também! O que você acha, Nikki?"

E eu, tipo: "Parece uma ideia bem divertida, Chloe e Zoey. Mas a apresentação é para um show de TALENTOS ou de ABERRAÇÕES?!"

Mas isso tudo eu disse dentro da minha cabeça, então só eu mesma escutei.

A Chloe e a Zoey são as MELHORES amigas DO MUNDO! Mas também ocupam o segundo e o terceiro lugar na lista de maiores tontas do colégio.

Então, de vez em quando as ideias delas também são um pouco... como posso dizer... TONTAS!

IDEIA MALUCA DE CHLOE & ZOEY Nº 1.397: LAGARTAS DE BIBLIOTECA QUE DANÇAM BREAK

Mas é tão divertido sair com elas justamente por causa dessas esquisitices ocasionais.

Respirei fundo e tentei dar a notícia para elas da maneira mais delicada possível.

"Para falar a verdade, acho que é uma ideia muito legal. Mas tenho uma má notícia... Por mais que eu queira, decidi não participar do show de talentos este ano. Estou tentando... ãããã... me dedicar mais aos estudos e tal."

"Nikki! Só vai ter graça se nós três participarmos juntas!", grunhiu a Chloe, enquanto seu sorriso murchava.

A Zoey também ficou decepcionada. "Bom, se VOCÊ não vai participar do show de talentos, também não quero participar!"

"Nem eu!", a Chloe acrescentou, fechando a cara.

"Ah, qual é, meninas! VOCÊS DUAS podem ser lagartas de biblioteca que dançam break. Vai ser divertido DE QUALQUER JEITO!", falei, tentando parecer otimista.

Mas não consegui convencê-las a mudar de ideia.

Nós três ficamos ali sentadas, sem dizer nada, pelo que pareceu uma ETERNIDADE.

Para piorar as coisas, comecei a me sentir culpada por ter decepcionado minhas amigas.

Finalmente a Zoey quebrou o silêncio. "Nikki, você está brava com a gente ou algo assim?"

"DO QUÊ você está falando? Claro que não!", respondi. "Vocês duas é que deviam estar bravas comigo!"

"Você anda meio distante nos últimos dias. Tem alguma coisa errada?", perguntou a Chloe, me encarando intensamente.

Por uma fração de segundo, pensei em desabafar e contar tudo para elas.

Falar sobre a MacKenzie, a Queijinho Derretido, o show de talentos, meu pai, minha bolsa de estudos...

TUDINHO!

Mas, em vez disso, balancei a cabeça vigorosamente e tentei forçar um sorriso.

"NÃO! Não tem nada errado! Só estou me sentindo mal porque vocês decidiram não participar do show de talentos. Eu sei que vocês estavam ansiosas para se apresentar."

A Chloe deu de ombros e olhou pela janela.

A Zoey mordeu o lábio e encarou o chão.

Eu lembrei a mim mesma que estava fazendo isso pelo bem delas. A última coisa que eu quero é que ELAS sejam vítimas da guerra da MacKenzie contra MIM.

O sinal finalmente tocou, indicando o fim das aulas.

A Chloe e a Zoey pareciam tristes e desanimadas. Acho que elas sabiam que eu estava escondendo alguma coisa.

E eu me senti... HORRÍVEL!

Suspirei e tentei pedir desculpas. "Escutem... foi mal. MESMO. Me desculpem, tá bom?"

A Chloe e a Zoey se levantaram para ir embora e disseram exatamente a mesma coisa ao mesmo tempo.

Então se viraram e saíram ☹.

TERÇA-FEIRA, 12 DE NOVEMBRO

Acho que finalmente descobri a fonte da infestação de insetos no colégio!

Não sou especialista no assunto (ao contrário do meu pai!), porém achei estranho ver tantos insetos diferentes rastejando por aí.

Mas a parte louca não é essa!

Eu tinha esquecido a tarefa de francês no meu armário, e o professor me deixou sair da sala para ir lá buscar. Os corredores estavam vazios e silenciosos enquanto eu mexia no armário.

Pude jurar que escutei GRILOS CANTANDO!

E o som vinha do ARMÁRIO DA MACKENZIE!!!

E eu, tipo: "Que diabos...!!"

Fiquei na ponta dos pés e tentei enxergar pelas frestas da parte de cima do armário da MacKenzie.

Pensei ter visto a tampa prateada de um pote ou algo assim, mas a bolsona de couro dela estava na frente.

Foi quando tive a brilhante ideia de enfiar minha régua pela fresta para movimentar as coisas lá dentro e enxergar melhor.

Depois de algumas tentativas, consegui empurrar a bolsa da MacKenzie para o lado.

E, como eu esperava, tinha um pote de vidro atrás da bolsa. Mas não consegui ver se tinha algo dentro dele.

Usando a régua, tentei mover o pote mais para frente para enxergar melhor.

Mas, não sei como, consegui derrubar o pote, que bateu na porta com um *CLANC* e rolou para cima da bolsa.

Foi quando percebi que a tampa não devia estar bem fechada, porque ela caiu.

E eu, tipo: "OPS! Hora de voltar para a sala de aula!"

Mas, quanto mais eu pensava no assunto, mais FURIOSA ficava.

Basicamente porque me parecia que a MacKenzie estava espalhando insetos pela escola às escondidas.

Ela SABIA que mais cedo ou mais tarde o diretor chamaria o meu pai para fazer a dedetização. E que, quando ele aparecesse, eu ficaria completamente SURTADA.

De jeito NENHUM eu deixaria meu pai aparecer no colégio.

Imagine se ele ME ENCONTRASSE no corredor entre uma aula e outra?!!

E me falasse algo SUPERconstrangedor, do tipo: "Oi, Nikki...!"

AI, MEU DEUS!! Eu simplesmente ia desmaiar e... MORRER!!!

E, desse dia em diante, eu seria conhecida como a filha do dedetizador maluco que fica por aí dançando como se estivesse numa discoteca.

Os alunos ficariam fofocando pelas minhas costas e me chamando de ABERRAÇÃO!

E não apenas uma ABERRAÇÃO qualquer, mas metade INSETO, metade TONTA! Que é, tipo, dez vezes PIOR!!!

EU, A ABERRAÇÃO METADE INSETO, METADE TONTA!

Minha vida seria TOTALMENTE ARRUINADA!!
E a culpa seria toda da MACKENZIE ☹!!

Só que, ao contrário do problema com o show de talentos, que envolvia as minhas melhores amigas, dessa vez a questão era só entre MIM e a MACKENZIE. Isso significava que eu podia lidar com ELA do MEU jeito.

Marchei em direção à sala do diretor Winston para ter uma bela conversinha com ele sobre o problema com os insetos.

Só que eu não DEDUREI a Mackenzie! SIM, eu sei! Eu DEVIA ter feito isso.

Mas, com base em experiências anteriores, eu sabia que ela só piscaria de um jeitinho inocente e MENTIRIA NA MAIOR CARA DE PAU!

E o Winston acreditaria nela (e não em mim), porque todos os adultos acham que a Mackenzie é um anjinho perfeito, INCAPAZ de mentir.

Além do mais, eu iria falar com o Winston sobre algo MUITO mais importante do que as travessuras infantis da Mackenzie.

Nosso encontro aconteceu como eu havia planejado.

Ele disse que estava contente por eu ter aparecido na sala dele e perguntou como andavam as coisas, considerando que eu era uma aluna nova.

Respirei fundo e fui direto ao ponto.

"Na verdade, diretor Winston, até que estou bem, considerando que o meu armário fica ao lado do da MacKenzie Hollister e que estou completamente perdida em geometria. Mas eu vim aqui para avisar que, como o meu pai está superocupado no momento, acho que o senhor devia chamar outro dedetizador. Tenho certeza que o meu pai valoriza muito o senhor e o colégio, mas ele está lotado de trabalho."

O diretor piscou. Então tirou os óculos, cruzou os braços e assentiu lentamente.

"É mesmo? Eu estava justamente me perguntando por que seu pai não apareceu aqui na sexta-feira. Achei que ele não tinha recebido a mensagem que deixei na secretária eletrônica. E é uma coincidência enorme você ter aparecido aqui, srta. Maxwell, porque eu ia ligar de novo para ele hoje à tarde."

"Bom, se quiser um conselho, nem liga! Ele está tão ocupado que não dorme há... ãããã... três ou cinco dias. Além disso, acho que não faria bem para ele, pois ele tem... você sabe... um problema na vesícula... então é melhor chamar outra pessoa."

O diretor ficou parado me encarando com uma expressão perplexa. Então vi que ele olhou de relance para o telefone sobre a mesa.

Foi quando me levantei, esbocei um sorriso falso e apertei a mão dele de um jeito bem amigável.

"Bom, diretor Winston, não quero ocupar mais o seu tempo. Sei que o senhor é uma pessoa muito ocupada. Além disso, acabei de ouvir o sinal do almoço, e eu ADORO todas as coisas criativas que os cozinheiros daqui fazem com aquela carne misteriosa. Fico muito feliz por termos tido essa conversa."

"Obrigado, srta. Maxwell. Também fico feliz", ele disse e pigarreou.

Então eu saí em disparada dali.

Enquanto caminhava em direção ao refeitório, senti que um grande peso tinha saído dos meus ombros.

O Winston chamaria outro dedetizador e o meu segredo continuaria bem escondido.

Problema resolvido!

Quando eu estava chegando ao refeitório, uma dúzia de GDPs passou correndo e gritando por mim.

Lá dentro estava um completo

CAOS!!

Logo reconheci a MacKenzie de pé em cima de uma das mesas, gritando histericamente e apontando para algo no chão, em frente ao bufê de saladas.

Minha primeira reação foi pensar: *Rato?! Cobra?!*

Mas, considerando que era a MacKenzie, também podia ser algo tão aterrorizante quanto um par de calças vermelhas de poliéster. E, tenho que admitir, não fiquei surpresa ao encontrar no chão...

A BOLSA DE COURO DA MACKENZIE!!

Foi quando concluí que o meu palpite estava certo.

Ela estava MESMO guardando grilos naquele pote! ☺!!

QUARTA-FEIRA, 13 DE NOVEMBRO

O único assunto na boca de todos os alunos nos últimos dias é aquele show de talentos idiota. Estou começando a ficar irritada com isso!

As pessoas estão ensaiando antes das aulas, depois das aulas e até na hora do almoço. Vou ficar MUITO feliz quando isso tudo terminar!

Eu estava só esperando o momento em que a MacKenzie apareceria para convidar a Chloe e a Zoey para participar do grupo de dança dela, por isso não fiquei nem um pouco surpresa quando vi a garota indo falar com elas depois da aula de educação física de hoje.

Porém, fiquei chocada quando a Chloe e a Zoey recusaram o convite!

Elas falaram que não queriam participar do show de talentos, a não ser que eu também participasse. Eu não podia acreditar que as minhas amigas tinham basicamente dito para a MacKenzie jogar aquele grupinho de dança na privada e dar descarga ☺!!

A MacKenzie ficou olhando para as duas de boca aberta, pois de repente percebeu que seu plano para me excluir do show de talentos tinha dado errado.

Ela deve ter visto o sorrisinho no meu rosto, pois me lançou um olhar furioso, e eu fiquei, tipo: "QUE FOI?!" e pisquei de um jeito bem inocente.

Mas eu NÃO consegui acreditar na coisa horrível, nojenta e baixa que a MacKenzie fez em seguida.

"Tá bom, Chloe e Zoey. Vou ser sincera com vocês. O Jason e o Ryan IMPLORARAM para que eu convidasse vocês duas. Eles estão MORRENDO de vontade de dançar com vocês. Prometi que não ia contar nada, mas eles estão gamados em vocês duas!", ela falou toda empolgada e deu uma piscadinha.

Eu não tinha dúvida de que a MacKenzie estava mentindo como o Pinóquio. Ela estava dando uma de Cupido para convencer a Chloe e a Zoey a se juntar ao grupo de dança.

Mas elas acreditaram em todas as palavras que a MacKenzie disse e surtaram! Começaram a dar pulinhos e gritinhos!

Não tive coragem de falar para elas que a MacKenzie é uma mentirosa patológica e que o Jason e o Ryan provavelmente estavam por dentro do plano dela.

Lancei um olhar de reprovação para a garota, e dessa vez ELA piscou de um jeito inocente e perguntou: "QUE FOI?!"

Eu estava tão furiosa que seria capaz de CUSPIR! Queria dar uns tabefes naquela garota por mexer daquele jeito com as emoções das minhas amigas.

Aqueles dois caras tinham convidado líderes de torcida para a festa de Halloween, deixando a Chloe e a Zoey de coração partido.

E AGORA eles queriam dançar com elas?!! Não dava para acreditar que a MacKenzie era tão MANIPULADORA... uma verdadeira COBRA!!

Mas o que REALMENTE me preocupava era o fato de que nem a Chloe nem a Zoey tinham se recuperado completamente do caso paralisante de...

PAIXONITE ☹!!

DRA. NIKKI DÁ BOAS NOTÍCIAS!

"Bom, meninas. A julgar pelo resultado dos exames, parece que este grave caso de paixonite pode ser curado com remédios!"

DRA. NIKKI DÁ NOTÍCIAS NADA BOAS!

"Infelizmente, vocês não poderão se sentar por uma semana. Agora virem de lado, fechem os olhos e contem até dez."

A MacKenzie estava expondo a Chloe e a Zoey a mais um caso preocupante de PAIXONITE, apenas para se dar bem. Essa garota NÃO TEM CORAÇÃO!

Elas vão começar a ensaiar amanhã.

Provavelmente não vou ver muito as minhas amigas pelas próximas duas semanas, pois elas só vão andar com a MacKenzie e as GDPs.

Não que eu esteja com ciúme ou algo do tipo.

Porque, né, isso seria superimaturo.

☹!!

QUINTA-FEIRA, 14 DE NOVEMBRO

AI, MEU DEUS!!

Não consigo acreditar na confusão

HORRÍVEL

que eu fiz!

Não imaginei que as coisas fossem acabar desse jeito.

O QUE eu vou fazer agora?!

Acho que vou ficar

DOENTE!

Foi por isso que pedi para a minha professora de geometria, a sra. Sprague, se eu podia ir ao banheiro.

EU, NO BANHEIRO, ME SENTINDO MUITO PREOCUPADA E DOENTE!!

Bom, o que aconteceu foi o seguinte...

Quando cheguei em casa depois da aula de ontem, parei para dar uma olhada na correspondência.

Vi um envelope do WCD endereçado a mim e aos meus pais, e achei que fosse o boletim ou algo assim.

No entanto, quando eu abri, quase tive um treco, pois era uma CONTA DE PAGAMENTO DO COLÉGIO ☹!!

Como eu sei que era isso?

Porque estava escrito em letras garrafais:

BOLETO DE PAGAMENTO DE NIKKI MAXWELL

E logo abaixo tinha um valor tão alto que achei que meus olhos iam saltar para fora só de olhar para ele.

Eu poderia tentar pagar com a merreca da minha mesada. Mas isso levaria uns 1.829,7 anos ☹!

<u>EU, TENTANDO LER A CONTA COM OS OLHOS QUASE SALTANDO PARA FORA!</u>

Primeiro, achei que fosse algum engano.

Mas a única explicação lógica para aquilo é que eu tinha estragado tudo ao NÃO passar para o meu pai o recado do diretor Winston.

E depois, ainda tinha feito a ESTUPIDEZ de ir até a sala do diretor para falar que o meu pai estava ocupado demais para ir à escola. E agora a minha bolsa de estudos foi cancelada!!

O QUE eu tenho na cabeça?!!! Meus pais nunca conseguiriam pagar essa conta!

De repente, ficou bem claro que a MacKenzie tinha me sacaneado pra valer!

O plano maligno dela NÃO ERA me envergonhar fazendo meu pai ir até a escola para exterminar os insetos que ela estava soltando.

NÃO MESMO!! Aquela cabecinha é muito mais PERVERSA que isso!

O plano dela era fazer com que o meu pai NÃO fosse à escola matar os insetos que ela soltou.

Assim eu perderia a minha BOLSA e seria EXPULSA DO COLÉGIO!

Ela sabia que eu ficaria SURTADA e faria o possível para manter o meu pai longe do colégio.

Resumindo: ela me ENGANOU e fez com que eu ARRUINASSE A MINHA PRÓPRIA VIDA ☹!!

A MacKenzie Hollister é um

GÊNIO DO MAL!

Agora eu não tenho nem bolsa de estudos nem dinheiro para pagar o colégio.

Ou seja, caí numa CILADA!

Enquanto eu estava sentada no chão frio do banheiro, uma nuvem de angústia pareceu descer sobre mim, como se fosse uma névoa tóxica, que não me deixava respirar nem pensar direito.

Dominada por emoções que me rasgavam o coração (e pelo cheiro horrível do banheiro do colégio), comecei a pensar o impensável.

Eu queria que todos os meus problemas sumissem.

Então decidi acabar com tudo...

ME JOGANDO NA PRIVADA E DANDO DESCARGA ☹!!

Mas, infelizmente, eu era grande DEMAIS para passar pelo buraco do vaso sanitário.

Foi quando notei um pôster amarelo-berrante do show de talentos grudado na porta do banheiro.

Eu já tinha visto aquele pôster espalhado pelo colégio todo. Mas, depois do drama com a MacKenzie, nem tinha me dado ao trabalho de ler...

VOCÊ CANTA, DANÇA OU TEM ALGUM OUTRO TALENTO DIVERTIDO QUE GOSTARIA DE MOSTRAR AO MUNDO?

ENTÃO VENHA PARTICIPAR DO 10°
SHOW DE TALENTOS DO WCD

Sábado, 30 de novembro, 19h30

Juiz: TREVOR CHASE, produtor musical mundialmente famoso e ex-aluno do WCD

OS PRÊMIOS INCLUEM:

- Teste televisionado para o *15 MINUTOS DE FAMA*
- Bolsas de estudos para o WCD
- Laptops
- iPads
- (e muito mais)

AS FICHAS DE INSCRIÇÃO DEVEM SER ENTREGUES ATÉ SEXTA-FEIRA, 22 DE NOVEMBRO.
(O descumprimento das regras resultará em desclassificação.)
Mais informações na secretaria.

Precisei ler o pôster, tipo, umas três vezes antes de cair a ficha.

O WCD realmente ia dar

BOLSAS DE ESTUDOS?!

Sei que prometi não participar do show de talentos, mas as coisas mudaram.

Estou desesperada.

Quão desesperada?!

MUITO, MUITO

DESESPERADA!!

☹!!

SEXTA-FEIRA, 15 DE NOVEMBRO

Quando eu achava que a minha vida NÃO PODERIA ficar PIOR, ela FICOU!!

Pulei o almoço hoje pois queria conversar com o Brandon.

Sentia muita necessidade de desabafar com alguém sobre as coisas que estão dando errado na minha vida no momento, por exemplo...

TUDO ☹!!!

Eu não podia conversar com a Chloe e a Zoey, pois elas estavam ocupadas ensaiando com o Jason e o Ryan na hora do almoço.

Eu ainda considerava o Brandon um amigo próximo, apesar de ele andar superocupado nas últimas duas semanas, por isso mal nos falamos desde a festa de Halloween.

Eu sempre tive a sensação de que conversar com ele me faz pensar nos problemas de maneira mais lógica.

Mas, o mais importante, eu queria contar para ele sobre o meu pai, minha bolsa de estudos cancelada e o fato de que talvez eu seja obrigada a sair do WCD em breve.

Cansei de fingir que está tudo bem quando não está!

E eu sei que, mais cedo ou mais tarde, a MacKenzie vai espalhar essa história para o colégio inteiro.

Ei, mundo! Meu pai é dedetizador de insetos, e eu só frequento o WCD porque tenho bolsa de estudos!

Grande coisa! É quem eu REALMENTE sou!

POR QUE deveria sentir vergonha disso?!

Só porque a MacKenzie tem problema com isso, eu não preciso ter.

Enfim, corri em direção à sala do jornal do colégio, pois é lá que o Brandon tem passado o tempo, treinando o fotógrafo novo.

Bom, parece que ele anda mesmo bem ocupado...

COM A MACKENZIE!!

Sempre me perguntei se o Brandon gosta mesmo de mim ou não. Bom, agora eu sei.

ELE NÃO GOSTA!!!

Acho que ele estava apenas me usando para deixar a MacKenzie com ciúme ou algo do tipo.

Eu não podia ficar parada ali vendo aquela garota se jogar para cima dele, como se fosse um cachorrinho carente.

"Ah, Braaaandon!" isso e "Ah, Braaaandon!" aquilo...

AI, MEU DEUS! Ela estava BABANDO tanto que achei que o cérebro dela fosse escorrer pelas orelhas como geleia e formar uma poça no chão.

Ela está mais LOUCA por ele do que NUNCA!

E desde QUANDO a MacKenzie se interessa por fotografia?!!

Provavelmente desde que o BRANDON se tornou seu PROFESSOR!

E saca só! Ela nem sequer LÊ o jornal do colégio, porque não tem uma seção de moda & estilo. E a seção de moda & estilo é a ÚNICA coisa que ela diz que vale a pena ler em QUALQUER jornal.

Essa garota tá DESESPERADA!!

Enfim, dei as costas e saí de lá antes que eles pudessem me ver.

Se o Brandon quer a MacKenzie, que fique com ela!!!

SÁBADO, 16 DE NOVEMBRO

Minha vida está completamente CAÓTICA!

Passei o dia todo me sentindo SUPERdeprimida e culpada.

Finalmente decidi esclarecer as coisas com os meus pais e contar TUDO!!

Não me importo se ficar de castigo até o meu aniversário de 21 anos!

Falei: "Ãããã, pai, mãe, posso conversar com vocês? É muito importante!"

E a minha mãe, tipo: "Claro, meu bem. Mas dá para esperar um pouquinho? A noite está muito bonita, então seu pai e eu decidimos que vamos todos passar um tempo em família".

E eu, tipo: "AI, CARAMBA!! Péssimo momento para inventarem mais um tempo em família ☹!!"

Daí meu pai quase me derrubou ao passar correndo por mim e sair pela porta dos fundos com uma lata de fluido de isqueiro e uma caixa de fósforos.

É só o meu, ou a maioria dos pais parece ter tendências piromaníacas ocultas?

Eles ficam ultrafelizes e empolgados quando têm a oportunidade de assar uma carne na churrasqueira, acender a lareira, fazer uma fogueira, queimar restos de folhas ou fazer qualquer coisa que envolva fogo...

MEU PAI, QUANDO **ELE** ESTÁ ENCARREGADO DE ACENDER O FOGO

Por que ISSO?!

Enfim, meu pai resolveu fazer uma fogueira no quintal para assarmos marshmallows. E minha mãe apareceu com uma bandeja cheia de barras de chocolate e um pacote de bolachas para fazermos deliciosas bolachas recheadas de chocolate e marshmallow.

Tenho que confessar que eu estava morrendo de vontade de devorar aquela delícia quente e grudenta de chocolate.

Parece uma atividade familiar divertida, não é?
E era.

Até o meu pai se deixar levar pela emoção e queimar
completamente os marshmallows dele.

Quando eles pegaram fogo, meu pai entrou
em pânico.

Parecia que ele estava segurando um daqueles
espetinhos flamejantes que a gente vê em
restaurantes chiques.

Ele ficou sacudindo loucamente o espeto em círculos,
tentando apagar o fogo.

Quando vimos, os marshmallows estavam voando para
fora do espeto e quase entrando em órbita.

AI, MEU DEUS! Os marshmallows do meu pai
iluminaram a noite como se fossem uma chuva de
meteoros.

Até que o efeito foi maneiro!

MINHA FAMÍLIA ASSANDO MARSHMALLOWS

Mas, sei lá como, no meio da bagunça toda, um dos marshmallows em chamas voou na calça dele e ficou grudado ali. É claro que a Brianna pirou e saiu gritando feito doida!

Minha mãe pensou rápido: pegou um balde de água que meu pai tinha deixado ali perto e jogou na calça dele para apagar o fogo. Ainda bem que ele não se machucou nem nada.

Mas então a sra. Wallabanger, nossa vizinha muito intrometida, veio correndo para ver o que estava acontecendo.

Meu pai fez o possível para explicar que estávamos no quintal assando marshmallows quando ele se envolveu num pequeno acidente.

A sra. Wallabanger ficou só olhando para ele com cara de nojo. Ela passou um sermão no meu pai sobre como ele devia se envergonhar disso e ameaçou chamar a polícia.

Então voltou correndo para casa e bateu a porta. Mas nós percebemos que ela continuava nos observando por entre as cortinas.

Nenhum de nós entendeu direito por que a sra. Wallabanger estava agindo daquele jeito estranho.

142

Foi quando olhei melhor para o meu pai e notei que parecia que ele tinha, ãã... molhado as calças.

Isso explicava por que a sra. Wallabanger tinha ficado TOTALMENTE SURTADA quando meu pai falou sobre seu "pequeno acidente" no quintal.

Decidimos encerrar a noite, e meu pai apagou a fogueira jogando terra sobre as chamas.

Como as calças do meu pai estavam molhadas, sujas, cobertas de marshmallow e meio chamuscadas, minha mãe insistiu que ele as tirasse na garagem e as jogasse no lixo, para não sujar a casa. Então ela subiu correndo para pegar uma calça limpa para ele.

Bom, a sra. Wallabanger AINDA devia ainda estar bastante indignada, pois, quando a minha mãe voltou à garagem para entregar as calças do meu pai, escutamos uma barulheira na entrada de casa.

Pelo que pude escutar, meu pai estava discutindo com alguém num tom bem exaltado.

Parecia que uma mulher estava tentando convencê-lo que estava ali para ajudar. Mas o meu pai insistia, com uma voz bem alta, que não QUERIA nem PRECISAVA de AJUDA.

Foi quando a moça falou: "Na verdade, senhor, acho que você precisa de AJUDA para ENCONTRAR AS SUAS CALÇAS!"

MEU DEUS! Fiquei chocada quando vi a policial! Mas preciso admitir que ela tinha razão quanto às calças.

Então meu pai ficou irritadinho e retrucou que não estava gostando de ser motivo de piada.

Mas a policial falou que ele precisava se acalmar e se sentar no banco de trás da viatura de polícia para darem uma voltinha até a delegacia.

Pensei que meu pai iria preso ou algo assim.

Ainda bem que a minha mãe saiu correndo lá fora e explicou toda a história sobre o marshmallow flamejante, o balde de água e a falta de calças do meu pai.

Depois que a simpática policial se convenceu de que o meu pai NÃO ESTAVA perambulando pelo bairro espiando pela janela dos vizinhos, ela se desculpou e foi embora.

Apesar de a noite ter sido um desastre completo, minha mãe ainda insistiu para que tirássemos uma foto, que ela guardaria no álbum especial do tempo em família.

Então posamos para a foto na cozinha, cada um segurando uma bolacha e forçando um sorriso, só para deixá-la feliz.

"PIQUENIQUE COM MARSHMALLOW DA NOSSA FAMÍLIA"
(DURANTE O QUAL AS CALÇAS DO MEU PAI PEGARAM FOGO E ELE QUASE FOI PRESO)

Foi o PIOR tempo em família de todos!

Como todos nós ficamos traumatizados com a história dos marshmallows e o meu pai ainda estava FURIOSO com a policial, achei que era um PÉSSIMO momento para tocar no assunto da conta do colégio.

Talvez eu conte para eles amanhã. Ou eu poderia fugir de casa e me juntar ao circo... ☹!!

DOMINGO, 17 DE NOVEMBRO

Fiquei acordada quase a noite toda, revirando na cama e tentando bolar uma maneira de resolver os meus problemas.

Quando comecei a frequentar o WCD, nunca imaginei que ia querer continuar estudando lá.

Mas, nos últimos meses, acho que acabei me afeiçoando ao lugar ou algo assim.

A Chloe, a Zoey e eu nos tornamos muito próximas.

Eu até GANHEI o concurso de artes. E depois o Brandon me convidou para ir à festa de Halloween. Embora, por culpa da MacKenzie, as coisas com ele não sejam mais tão boas como eram ☹.

Eu só preciso descobrir um jeito de consertar tudo isso.

Neste momento, tenho basicamente DUAS opções:

1. Desistir e mudar de escola... O que significaria ter de passar DE NOVO pelo TORMENTO de ser a ALUNA NOVA ☹!

2. Roubar um banco e pagar o colégio com o dinheiro. O que, infelizmente, poderia ser o meu primeiro passo no mundo do crime.

EU, UMA CRIMINOSA SELVAGEM

Em vez de passar mais quatro anos no colégio e depois quatro na faculdade, eu passaria oito na prisão por roubo.

E, quando eu me casar e tiver filhos, a coitada da minha filha vai seguir o MEU exemplo e se tornar uma delinquente juvenil antes mesmo de sair das fraldas.

O PRIMEIRO ~~ANIVERSÁRIO~~ CRIME DA MINHA FILHA

E então, enquanto apodreço na cadeia (e me divirto horrores em festas de manicure e pedicure com todas aquelas celebridades presas), vou perceber que arruinei a minha vida e me arrepender de NÃO ter passado para o meu pai o recado do diretor Winston!

Enfim, a ÚNICA opção que eu tenho de verdade é tentar ganhar a bolsa de estudos no show de talentos.

Infelizmente, sou uma cantora mais ou menos. Mas, se eu fizesse parte de uma banda cheia de músicos talentosos, talvez tivesse chance de ganhar.

Então, na segunda-feira, vou espalhar cartazes pelo colégio e fazer testes com os interessados em formar uma banda. Com sorte, talvez eu encontre alguns alunos talentosos que AINDA não se inscreveram para o show.

SEGUNDA-FEIRA, 18 DE NOVEMBRO

Cheguei ao colégio uma hora mais cedo hoje para espalhar os cartazes anunciando os testes para a minha banda.

Também consegui autorização da secretaria para usar a sala de música depois da aula amanhã.

Sei que está em cima da hora, mas eu só preciso que três ou quatro pessoas apareçam.

Apesar de ainda ser bem cedo, já tinha uma meia dúzia de grupos ensaiando em vários locais do colégio.

As GDPs tinham colocado uma música tão alta no refeitório que eu mal conseguia escutar meus pensamentos.

Dei uma olhada lá dentro e vi a Chloe e a Zoey dançando e flertando com o Jason e o Ryan. Minhas amigas pareciam TÃO felizes.

Eu não tinha a menor dúvida de que elas preferiam dançar com o Jason e o Ryan a fazer parte da minha banda capenga.

Planejei contar para elas mais tarde na biblioteca que mudei de ideia sobre o show de talentos. Eu tinha certeza de que elas iam entender.

EU ESPALHANDO OS CARTAZES

Assim que acabei de colar os cartazes, corri para a sala de aula, pois precisava terminar uma tarefa que não tinha conseguido fazer no fim de semana.

Não dá para acreditar na quantidade de tarefa que pedem no fim do ensino fundamental. É IMPOSSÍVEL fazer tudo!

A última coisa que eu precisava era entregar uma tarefa incompleta, então resolvi inventar uma boa desculpa para conseguir um tempinho a mais com o professor.

Por algum motivo, os professores costumam acreditar em histórias bem criativas, não interessa se são completamente loucas ou exageradas.

Foi quando tive a brilhante ideia de fazer um manual muito prático e útil, chamado:

GUIA DO ESTUDANTE PREGUIÇOSO DE DESCULPAS PARA NÃO FAZER A TAREFA

Acho que não tem nada parecido nas livrarias.

Então resolvi anotar todas as melhores desculpas que usei nos últimos anos e organizá-las num formulário simples.

Assim que tiver reunido um número suficiente, pretendo lançar um livro que pode muito bem se tornar um best-
-seller instantâneo entre os estudantes do mundo todo:

DE: _____
(SEU NOME)

Ref.: Problema com a minha tarefa

Prezado(a) _____,
(NOME DO(A) PROFESSOR(A))

Você provavelmente não vai acreditar, mas
- ☐ minha irmã mimada
- ☐ meu irmão levado
- ☐ meu tio paranoico
- ☐ minha vizinha idosa e senil

tem como bichinho de estimação
- ☐ uma cobra chamada Hubert,
- ☐ um macaco chamado Rocky,
- ☐ um morcego-vampiro chamado Jean-Claude
- ☐ um unicórnio chamado Docinho,

que infelizmente ficou muito

☐ assustado(a)

☐ irritado(a)

☐ confuso(a)

☐ doente

e, para a minha surpresa,

☐ vomitou no(a)

☐ teve filhotes em cima do(a)

☐ teve um ataque cardíaco e morreu no(a)

☐ teve um sangramento nasal intenso no(a)

meu/minha

☐ exercício de matemática.

☐ redação.

☐ projeto.

☐ relatório.

☐ tarefa de casa.

☐ _____.

(PREENCHER)

Quando percebi que não conseguiria entregar o trabalho a tempo, fiquei muito deprimida(o) e tive uma crise violenta de:

☐ choro.

☐ flatulência.

☐ soluço.

☐ riso.

Peço sinceras desculpas por qualquer inconveniência que isso possa ter causado.

Garanto que isso NÃO vai acontecer de novo

☐ NUNCA MAIS!

☐ até a entrega do meu próximo trabalho.

☐ até a vaca chegar à lua.

☐ até o próximo emocionante episódio de *America's Next Top Model*.

☐ (e, se você acreditar nisso, eu gostaria de lhe vender um pedaço de ~~pântano~~ terra na Flórida).

Atenciosamente, _____

(SUA ASSINATURA)

Já sei! Talvez eu possa usar a grana da venda do livro para pagar o colégio ☺!

Mas então, na aula de biologia hoje, o Brandon ficou me olhando.

Não que eu tenha ficado olhando para ELE a aula inteira ou algo assim. Sou apenas uma pessoa observadora e acabei notando isso.

Quase caí da cadeira quando ele se curvou na minha direção e sussurrou: "Tá tudo bem, Nikki? Você parece meio pra baixo hoje".

Mas, como falar com ele só faria eu me sentir MAIS arrasada, apenas concordei com a cabeça e continuei fazendo o trabalho sobre o cérebro humano.

Ao contrário da MacKenzie! A garota NÃO calou a boca a aula inteira!

AI, MEU DEUS!

Ela tagarelou sem parar com o Brandon sobre os novos sabores de gloss que comprou e sobre as Maníacas da Mac, enquanto fazia um olhar de cachorro pidão.

Observando o comportamento da MacKenzie, elaborei um relatório que confirma a minha nova hipótese sobre a relação entre inteligência e alimentação:

É humanamente possível ter o QI de uma torrada com geleia e ainda assim se adequar à vida em sociedade.

MACKENZIE = TORRADA COM GELEIA

Enfim, depois que a aula acabou, o Brandon não tentou conversar comigo de novo nem nada do tipo.

Ele apenas olhou para mim, deu de ombros e foi embora com uma expressão perplexa no rosto.

Era como se ele não tivesse a MENOR ideia de por que estou agindo assim.

O que é engraçado, pois ELE é o motivo pelo qual estou totalmente SURTADA.

Como ele pode NÃO saber como eu me sinto?!

Mas... e se ele realmente NÃO SOUBER?!

E se ele acha que estou apenas sendo fria, sem motivo algum?

Quando na verdade eu gosto dele! MUITO!!

Eu acho!

POR QUE eu estou tão CONFUSA?!

☹!!

TERÇA-FEIRA, 19 DE NOVEMBRO

Hoje era o GRANDE DIA! TESTES PARA A BANDA!!

Apesar de estar superempolgada, no fundo sentia uma grande preocupação.

Se eu não ganhar a competição e conseguir uma bolsa de estudos, não terei escolha: vou ter que mudar de colégio.

Só de pensar nisso, chego a suar frio ☹!

E, como se eu já não estivesse ESTRESSADA o suficiente, a MacKenzie não parava de me encarar com uma cara horrível enquanto eu mexia no meu armário.

E eu, tipo: "Qual é, garota. Você está me assustando. Se quer ficar me olhando, por que não tira uma foto?"

Mas isso tudo eu disse dentro da minha cabeça, então só eu mesma escutei.

Todas as aulas me mataram de tédio, e o dia parecia se arrastar de um jeito interminável.

Quando as aulas FINALMENTE acabaram, corri em direção à sala de música para me preparar para os testes.

Ao passar pelo refeitório, não pude deixar de notar que a MacKenzie e algumas GDPs do grupo de dança dela estavam reunidas ao redor de um dos meus cartazes.

Claro que, quando ela me viu, começou a cochichar alguma coisa sobre mim e a gargalhar como uma bruxa malvada.

Era muita cara de pau ela ficar falando de mim daquele jeito, na minha frente.

Porém, como eu tinha um compromisso importante, apenas ignorei e continuei andando.

Cheguei à sala de música uns dez minutos adiantada e fiquei aliviada ao ver que havia uns dez alunos praticando em seus instrumentos.

Comecei a me sentir bem melhor.

Agora eu tinha esperanças de que talvez meu plano maluco desse certo.

Dava para ver que eram ótimos músicos só de escutá-los praticando.

Às 15h45, resolvi dar início aos trabalhos.

"Bom, pessoal, estou pronta para começar, se vocês também estiverem!", eu disse animada. "Aqui está a ficha de inscrição."

Um cara bonitinho que estava batucando no assento da cadeira olhou para mim e sorriu. "Então é você que vai usar a sala de música hoje? Já estamos saindo, calma. Assim que o cara que toca tuba chegar, vamos para outra sala para ensaiar com o coral."

Já estavam saindo?! Fiquei totalmente confusa. Tinha quase certeza de que tinha ouvido errado. "Peraí. Vocês não estão aqui para o show de talentos?"

"Sim! Somos a banda de jazz, vamos fazer uma apresentação com o coral."

Fiquei apenas olhando para ele boquiaberta. "Ah, tá. Eu achei que... ãããã... vocês estivessem aqui para..." Minha voz foi ficando fraca.

Um cara entrou correndo e pegou a tuba. Então, todos saíram da sala.

Meu coração se partiu. Grunhi e desabei na cadeira.

Eu era a única pessoa na sala.

Olhei para o relógio. Eram 15h55.

Não entre em pânico!, pensei. *Talvez todo mundo tenha se atrasado ou algo assim.*

Olhei de novo para o relógio e me perguntei se ele não tinha parado de funcionar. Estava tão leeeeeeeeento.

15h58. 16 horas. 16h03.

E ninguém chegava.

16h05. 16h08. 16h11.

Às 16h15, suspirei bem fundo e admiti o que estava na cara.

Meu plano brilhante foi um completo e enorme

FRACASSO!

Nem uma ÚNICA pessoa se deu ao trabalho de aparecer para fazer o teste ☹!

Eu não conseguia lembrar a última vez que tinha me sentido tão sozinha.

Fiquei com um nó imenso na garganta e tentei segurar as lágrimas.

Eu era uma PERDEDORA!

Talvez mudar de colégio não fosse má ideia.

Estava NA CARA que ninguém ali gostava mesmo de mim. Eu só estava tentando me convencer do contrário.

Meus pensamentos foram interrompidos quando a Violet entrou correndo na sala e bateu a porta.

"Ah, você tá aqui! O que DIABOS está acontecendo? Falei pra todo mundo conferir a sala de música antes! As pessoas são tão IDIOTAS!"

SEMPRE dá para saber o que a Violet pensa sobre qualquer assunto.

Geralmente porque ela fala em alto e bom som, não importa se você quer ouvir ou não. Mas até que eu gosto disso nela.

"Bom, valeu por cancelar os testes na última hora. Fiquei ensaiando aquela música besta no piano por horas! Acho que não vai ser dessa vez que vou ficar famosa", ela bufou, franzindo as sobrancelhas.

Dei de ombros e tentei limpar as lágrimas antes que ela percebesse. "Me desculpa..."

De repente a expressão no rosto dela se suavizou, e ela pareceu preocupada. "Ei! Tá tudo bem com você?"

"Claro. Eu só tive, ãããã... umas alergias... bem fortes. Tá tudo bem. Mas você disse 'cancelar'?!"

"É! E em cima da hora. O que aconteceu?"

"Como assim, o que aconteceu?!"

"Como assim, *como assim?!*" A Violet me olhou como se eu fosse doida. "*Você cancelou o teste!* Né? Vem cá, olhe isso."

Segui a Violet pelo corredor e paramos no mesmo local onde, uma hora antes, eu tinha visto a MacKenzie e as amigas dela.

A Violet apontou para o cartaz. "Tá vendo? Aqui diz: 'CANCELADO'!"

Realmente, rabiscada com canetinha preta por cima do meu cartaz, estava a palavra "CANCELADO"!!

Eu NÃO podia acreditar no que estava vendo.

Eu me apressei pelo corredor até o cartaz que tinha colado em cima do bebedouro.

Dizia: "CANCELADO!!"

Fui olhar o cartaz na parede perto do meu armário.

"CANCELADO!!"

Caminhei pelo colégio todo, arrancando das paredes meus cartazes com a palavra "CANCELADO!!".

Joguei todos eles no lixo.

Foi por isso que ninguém apareceu para o teste.

E eu sabia quem estava por trás disso tudo.

MACKENZIE!!!

Senti as lágrimas brotando mais uma vez. Só que agora eram lágrimas de raiva.

Já estava quase na hora em que a minha mãe ia me buscar no colégio, então resolvi cortar caminho pelo refeitório até o meu armário.

Minha cabeça estava a mil por hora. A conta do colégio continuava existindo e eu não sabia como faria para pagá-la.

O que eu podia fazer agora? Contar aos meus pais? Parecia ser a ÚNICA solução.

Quando entrei no refeitório, escutei uma música e uma risada conhecida.

Fiquei paralisada e boquiaberta.

QUE ÓTIMO ☹!!

Eu tinha dado de cara com o ensaio de dança da MacKenzie. Depois do que essa garota fez comigo, ela era a ÚLTIMA pessoa que eu queria encontrar.

Eu me enfiei rapidinho entre duas máquinas de refrigerante e rezei para que ninguém notasse a minha presença. E de lá assisti ao ensaio.

172

Preciso admitir que a MacKenzie e o grupo dela eram muito bons. Especialmente a Chloe e a Zoey. Como eu já previa, elas eram de longe as melhores dançarinas.

Foi quando percebi que a minha situação não tinha saída. Eu não conseguiria ganhar desse grupo de jeito NENHUM.

Quando a música terminou, a MacKenzie sorriu como a mamãe ganso para os dançarinos, cheia de orgulho.

"É isso aí, pessoal! Foi FANTÁSTICO! Vamos fazer uma pausa de dez minutos."

Antes que eu me desse conta do que estava acontecendo, a sala inteira veio correndo na minha direção.

Isso é que é AZAR!

Lá estava eu, presa numa sala cheia de dançarinos suados e com sede.

E ONDE resolvi me esconder? Ao lado dos refrigerantes gelados, sucos e águas, é claro.

Fiquei, tipo: "Muito bem, Nikki!!" Minha estupidez nunca deixa de me surpreender!

Eu me virei e tentei correr até a porta. Só me esqueci de DUAS coisinhas.

Bom, na verdade... de duas coisas ENORMES...

AS LATAS DE LIXO!

BATI sem querer na primeira e depois TROPECEI e CAÍ por cima da segunda.

E SIM! Infelizmente, as latas de lixo estavam cheias até o topo daquelas coisas nojentas e pegajosas que os alunos se recusaram a comer no almoço e jogaram fora.

E o cheiro era muito, muito... HORRÍVEL!

Uma coisa meio PODRE... Nem sei dizer!

Caí no chão com um *BAQUE* e fiquei ali deitada, em choque, coberta da cabeça aos pés com um lixo asqueroso.

Eu me senti uma DESENGONÇADA.

Não sei o que estava mais ferido, minha BUNDA ou meu EGO.

Mas a pior parte é que eu tinha uma plateia.

Para ser mais específica, TODAS as GDPs do colégio! E, é claro, a MacKenzie estava em sua melhor forma.

"Ai, meu Deus, Nikki! O QUE você está fazendo no meio do lixo?! Procurando algo para JANTAR?"

Todo mundo ria tanto que mal conseguia respirar.

Bom, todo mundo MENOS a Chloe e a Zoey.

"NIKKI! O que aconteceu?", a Chloe quis saber.

"CARAMBA! Você tá bem?!", a Zoey perguntou, preocupada.

Minhas amigas me pegaram pelos braços e me ajudaram a levantar. Elas foram TÃO gentis comigo que eu quase chorei!

A MacKenzie tirou um pedaço de papel do bolso, o desdobrou e sacudiu na minha frente, desafiadora. Era um dos meus cartazes.

"Entãããão, como foram os testes para o show de talentos?! Vi que você perdeu a coragem e CANCELOU de última hora", ela disse.

Eu não podia acreditar que ela tinha dito isso. Fiquei ali parada olhando para ela, me perguntando qual era o lixo mais nojento: a MacKenzie ou a casca de banana podre que estava escorregando pela minha testa.

177

Eu ia responder quando a Chloe e a Zoey se viraram para mim com um olhar surpreso.

"Espere um pouquinho. VOCÊ vai participar do show de talentos?!", a Chloe perguntou, obviamente chocada.

"Pensei que você não tinha tempo por causa das aulas e das tarefas!", a Zoey acrescentou. "Ou será que você não queria participar do show de talentos COM A GENTE?"

"Mas é CLARO!", a MacKenzie cortou e entregou o meu cartaz para elas. "Parece que ela prefere andar com qualquer pessoa que topasse fazer o teste do que com vocês duas."

A Chloe e a Zoey pareciam muito magoadas.

Tentei desesperadamente pensar em algo para falar para as minhas melhores amigas.

"Na verdade eu, ããã... decidi de última hora e..."

A MacKenzie rapidamente dominou a situação e preparou o GOLPE FINAL.

"Bom, Chloe e Zoey, agora vocês sabem que tipo de amiga vocês têm. Uma bem falsa. A Nikki OBVIAMENTE não queria nada com vocês. Ela não merece a amizade de vocês duas."

Se existisse um Oscar de Melhor Atriz em Cena de Término de Amizade, a MacKenzie com certeza ganharia.

"Olha, eu sinto MUITO por vocês duas...!" Ela choramingou e fingiu lutar contra lágrimas falsas. Então abraçou as duas como se o cachorrinho delas tivesse morrido.

"Chloe! Zoey! Por favor, não acreditem na MacKenzie. Eu queria muito participar do show de talentos com vocês, mas aconteceu um monte de coisa complicada."

Não dava para acreditar como elas estavam chateadas. Pareciam prestes a chorar.

179

"Eu ia contar para vocês sobre a banda. Só não surgiu uma oportunidade... até agora!", murmurei.

"Chega! A Nikki está tratando vocês como lixo. Vamos lá, meninas. A gente tem um show de talentos para ganhar!" A MacKenzie agarrou a Chloe e a Zoey pelos ombros e levou as duas para longe.

Mas, antes de entrar no banheiro feminino, ela se virou para mim com um sorriso maligno e mexeu os lábios, dizendo...

OTÁRIA!

E é assim mesmo que estou me sentindo. Graças à MacKenzie, a minha vida virou um completo

LIXO!

Sem trocadilhos ☹!!

QUARTA-FEIRA, 20 DE NOVEMBRO

Praticamente perdi as esperanças de participar do show de talentos.

E ainda não faço a menor ideia de como vou continuar frequentando o WCD.

Quando vi a Chloe e a Zoey na aula de educação física hoje, queria muito pedir desculpas e explicar tudo antes que a MacKenzie faça uma lavagem cerebral completa nas duas.

Mas não tive oportunidade de falar com elas, porque a nossa professora disse que jogaríamos basquete.

Então ela selecionou quatro capitãs para montar os times.

Infelizmente, sou uma péssima jogadora de basquete e NUNCA fiz uma cesta na vida.

Assim, não fiquei nada surpresa quando fui a última a ser escolhida da turma toda.

CARAMBA! Isso sim é HUMILHANTE ☹!!

E, como se ser a última já não fosse RUIM o suficiente, as capitãs dos times ficaram discutindo qual delas seria "obrigada" a me aceitar.

Não é à toa que tenho baixa autoestima!

Eu esperava ficar no mesmo time que a Chloe e a Zoey, mas não tive essa sorte.

Enfim, os times que vencessem ganhariam um 10, enquanto os perdedores iriam direto para o chuveiro.

Isso me deixou supernervosa, porque ODEIO tomar banho no colégio.

Nunca imaginei que jogar basquete pudesse ser tão...

DOLOROSO!

Quando perguntei à professora se eu podia usar capacete, ombreiras e caneleiras, ela ficou irritadinha e retrucou que eu só precisava me mexer mais e me entrosar melhor com a equipe.

Mas o que eu realmente queria saber era COMO passar um tempo de qualidade escrevendo no meu diário se as pessoas ficavam me jogando aquela maldita bola de basquete a cada três segundos!

No fim do jogo, eu já estava de saco cheio daquilo. Então, quando alguém me passava a bola, eu só a jogava para trás, por cima do ombro, sem nem olhar. Queria me livrar dela para continuar escrevendo no diário.

Mas saca só! Fiz a cesta que deu a vitória ao nosso time faltando apenas dois segundos para acabar o jogo!

Todo mundo veio correndo na minha direção para me dar parabéns! E a minha equipe me levantou e me carregou nos ombros como se eu fosse uma heroína e a gente tivesse acabado de ganhar o campeonato estadual ou algo do tipo.

Eu NUNCA na vida tinha visto pessoas TÃO felizes por NÃO ter que tomar BANHO!

No vestiário, eu esperava ter uma chance de falar com a Chloe e a Zoey.

Mas, como o time delas perdeu, elas teriam que tomar uma ducha.

Decidi que seria mais prudente ter uma conversa sincera com elas outra hora.

Mesmo porque eu não saberia o que dizer agora.

Além da verdade.

O que, neste momento, NÃO é uma opção.

QUINTA-FEIRA, 21 DE NOVEMBRO

AI, MEU DEUS! NÃO consegui acreditar no que aconteceu na aula de estudos sociais hoje!!

A parte ruim de estar tão deprê é que não prestei muita atenção no dever de casa.

Porque COMO é possível estudar quando o seu mundo está desabando, sabe?

Para piorar, a participação em sala de aula vale um terço da nota.

Então você NÃO PODE apenas sentar no fundo da sala e ficar mandando mensagens de celular para os amigos sobre como aquela aula é CHATA a ponto de você ter de ficar no fundo da sala mandando mensagens de celular.

Como eu queria melhorar a minha nota, sempre que o professor fazia uma pergunta cuja resposta eu sabia, tentava DESESPERADAMENTE chamar a atenção dele.

PROFESSOR: "Está superquente e abafado na sala hoje, ou é impressão minha?!"

Ei! Era uma PERGUNTA e eu sabia a RESPOSTA!

É claro que o professor me ignorou COMPLETAMENTE.

Como ele sempre faz quando eu sei a resposta.

Então começamos a discutir o texto de estudos sociais que era para termos estudado em casa e que eu ~~mal olhei~~ li por cima.

189

PROFESSOR: "Então, quem pode me falar a diferença entre democracia, república, república federal e parlamento E dar um país como exemplo de cada um? Certo! Vamos ver..."

Tentei evitar contato visual e me escondi atrás do livro, enquanto repetia na minha cabeça...

Mas funcionou? É claro que NÃO!

PROFESSOR: "Que tal... a srta. Maxwell?"

Claro que eu passei por IDIOTA, porque não sabia a resposta para essa pergunta de dezessete partes ☹!!

Foi quando eu perdi a cabeça e gritei: "Humm, desculpa aí, sr. Professor! Mas dá pra VOCÊ me responder uma perguntinha?! Por que você SÓ me chama quando eu NÃO sei a resposta? Parece IMPLICÂNCIA ou algo assim, se você quer saber!"

Mas isso tudo eu disse dentro da minha cabeça, então só eu mesma escutei.

Depois que a aula finalmente terminou, eu estava guardando os livros na mochila quando a coisa mais estranha do mundo aconteceu.

A Violet apareceu perguntando se eu ainda queria montar uma banda para o show de talentos.

Fiquei olhando para ela boquiaberta.

NÃO DAVA para crer que ela queria participar da banda.

"Ah, claro! Eu ia ADORAR se você tocasse teclado na banda!", respondi alegre.

A Violet sorriu e falou: "Valeu, Nikki. É a realização de um sonho!"

Foi quando o Theodore se virou e me lançou um olhar estranho.

Se bem que, para ser sincera, o Theodore SEMPRE parece meio estranho. Por algum capricho da natureza, ele poderia muito bem se passar pelo irmão gêmeo humano do Bob Esponja.

"CARA! Você vai montar uma banda?!", ele perguntou empolgado.

"Para falar a verdade, SIM! Vou sim. Mas a sua banda já não se inscreveu para o show de talentos?", perguntei.

A banda do Theodore, SuperDoidos, tinha feito o MAIOR SUCESSO na festa de Halloween. E, de acordo com as últimas fofocas, era a banda favorita para ganhar o show de talentos.

"Você não ficou sabendo? A MacKenzie convenceu a maior parte da banda a se juntar ao grupinho besta de dança dela. Ela disse para os caras que as líderes de torcida tinham uma queda por eles e estavam morrendo de vontade de dançar com eles. Agora só sobraram dois SuperDoidos — eu e o Marcus", o Theodore disse de um jeito triste, com os olhos cheios de água. "O resto dos caras foi pro... pro... LADO NEGRO DA FORÇA!"

Ele estava tão chateado com a história que tive pena e dei um lenço para ele assoar o nariz.

"Fico triste em saber", comentei, tentando demonstrar solidariedade pela perda da maioria de seus colegas de banda para o lado negro da força.

Nossa, essa história me soou MUITO familiar!

"Então... vocês não precisam de um baixista e de um guitarrista?", ele perguntou, esperançoso.

"A vaga é de VOCÊS!", respondi contente.

Expliquei a eles que eu já tinha reservado a sala de música e que o nosso primeiro ensaio poderia acontecer amanhã de manhã.

E, como o prazo para se inscrever no show de talentos TAMBÉM se encerra amanhã, eu faria a nossa inscrição logo cedo.

"Demais!", a Violet disse.

"É! SUPERdemais!", acrescentou o Theodore.

Foi quando me liguei que ainda tínhamos um grande problema.

"Humm... o único problema, pessoal, é que a gente ainda precisa de um baterista. Não dá para montar a banda sem baterista." Eu me sentia como um balão que tivesse acabado de esvaziar.

A Violet parecia arrasada. "É verdade! Assim a gente não tem chance! SACO! Minha carreira musical acabou antes mesmo de começar!"

O Theodore apertou os olhos e coçou o queixo como se estivesse resolvendo de cabeça um problema superdifícil de geometria. "Bom, como eu disse antes, o baterista da SuperDoidos foi para o lado negro da força. Mas conheço outro cara que pode topar. Ele disse que estava muito ocupado para entrar na banda, mas acho que aceita fazer parte do nosso grupo por uma ou duas semanas, só para o show de talentos. E ele é bem bom."

"Sério?!", perguntei, esperançosa de novo. "Convida esse cara então!"

Comecei a achar que aquele plano maluco poderia acabar dando certo.

"Ei, a gente tá nessa pra GANHAR!", falei, batendo as mãos nas deles.

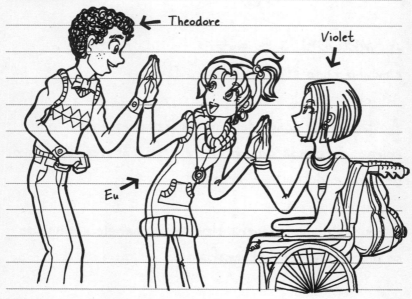

"Então vejo vocês amanhã, certo?", falei, enquanto pegava minha mochila e saía tranquilamente da sala.

Mas, dentro da minha cabeça, eu estava TÃO contente que fazia a minha "dancinha feliz do Snoopy".

AI, MEU DEUS! Eu poderia ter ido dançando o caminho todo até a próxima aula!

A MacKenzie convenceu minhas melhores amigas e os colegas de banda do Theodore a se juntarem ao grupo dela fazendo lavagem cerebral.

E roubou o meu paquera flertando com ele e fingindo se interessar por fotografia.

Mas agora eu estou prestes a fazer um retorno triunfal.

A partir de hoje, vou dedicar tempo e energia à minha banda.

E vamos ser IRADOS!

YEAH, BABY!!

☺!!

SEXTA-FEIRA, 22 DE NOVEMBRO

Eu estava tão empolgada com o primeiro ensaio da banda que quase não dormi à noite. Acordei bem cedo, peguei uma barra de cereal para o café da manhã e saí correndo porta afora.

Apesar de as aulas só começarem dali a uma hora e quinze minutos, os corredores já estavam barulhentos por causa dos ensaios.

Fiquei feliz de ver que a secretaria estava aberta e entrei para preencher a papelada necessária para inscrever a banda no show.

Quando estava quase terminando, entrou a ÚLTIMA pessoa que eu gostaria de encontrar. Tá bom, talvez a PENÚLTIMA.

Com tanta coisa acontecendo, eu simplesmente não tinha energia para lidar com ele naquele momento. Tentei o melhor que pude me esconder atrás da mochila para ele não me ver.

Mas não funcionou.

"E aí!", o Brandon disse com um sorrisão. Ele parecia surpreso e alegre de me encontrar.

"Beleza?", respondi, calculadamente indiferente. Como se eu NÃO estivesse pensando numa maneira de me enfiar dentro da mochila e fechar o zíper.

"Tranquilo. Só entrei para falar oi para uma amiga", ele respondeu.

Dei uma olhada ao redor da secretaria. Não tinha mais nenhum aluno ali além de nós.

"Bom, ninguém mais entrou aqui desde que eu cheguei...", falei, tentando soar como se não me importasse.

"Ei! VOCÊ não é minha amiga?!", ele brincou.

"Ah! Você estava falando de MIM?! Desculpa! Eu só achei que..."

Mordi o lábio e fiquei vermelha enquanto ele me encarava com aquele olhar. Aquele que em poucos segundos consegue desencadear um caso devastador e paralisante de SMR (Síndrome da Montanha-Russa).

Fiquei, tipo: "ÊÊÊÊÊÊÊÊÊÊ!!" Mas eu disse isso dentro da minha cabeça, então só eu mesma escutei.

Tentei recuperar a compostura. "Então, o que VOCÊ está fazendo aqui tão cedo? Além de falar oi para uma amiga?"

"Na verdade, vim para o ensaio do show de talentos. Me convenceram a participar de última hora."

Parecia que alguém tinha acabado de virar um balde de água fria nas minhas costas.

O Brandon?! No show de talentos...?!

De repente me dei conta de que, se a MacKenzie precisasse de um parceiro de dança, ELE com certeza seria sua PRIMEIRA opção. Tipo, por que NÃO?!

Mas COMO é que o Brandon podia deixar a MacKenzie manipulá-lo desse jeito?!

"Ah, é meeesmo? Que... curioso!", falei com os dentes cerrados. "Então, imagino que você vai dançar com a sua... assistente de fotografia."

O Brandon piscou e pareceu levemente confuso. "Assistente de fotografia? Eu não tenho nenhuma... Ah! Você tá falando da MacKenzie?"

DÃ!!

Dei o meu melhor sorriso falso. "Isso. Só espero que você sobreviva ao ataque da BIG MAC!"

E daí, claro, eu dei aquela bela revirada de olhos.

O Brandon riu, se aproximou e me deu um cutucão de leve com o cotovelo. "Nikki, assim você me MATA de rir! Ataque da Big Mac?!"

Para falar a verdade, eu não via nada de TÃO engraçado nisso. "É, vocês dois estão inseparáveis ultimamente. Toda uma... AMIZADE FOTOGRÁFICA."

O Brandon riu ainda mais. POR QUÊ?! Eu NÃO estava tentando ser engraçada!

Por fim, ele olhou para o relógio. "Bom, preciso ir. A gente se vê... mais tarde."

Não consegui me controlar. Era como se eu estivesse com diarreia na boca ou alguma coisa assim. "Boa sorte com a sua gatinha fotógrafa. Espero que vocês... ãããã... quebrem a perna!"

O Brandon sacudiu a cabeça e deu um sorrisinho. "Humm, valeu. Eu acho."

Então se virou e saiu da secretaria. Fiquei observando até ele sumir no corredor.

Repassei a nossa conversa em minha mente.

Assistente de fotografia? Ataque da Big Mac? Amizade fotográfica? Gatinha fotógrafa?

Morri de vergonha do que eu falei. POR QUE eu sempre ajo como uma LOUCA IRRACIONAL perto dele?!

Dá para entender por que ele prefere andar com a MacKenzie. Ele deve achar que eu sou DOIDA DE PEDRA!

Tentei tirar os dois da cabeça. Eu tinha mais coisas com as quais me preocupar, como o ensaio da banda. Que, POR SINAL, ia começar oficialmente em dois minutos.

Eu precisava terminar de preencher a ficha de inscrição e entregá-la para podermos participar do show.

Eu já tinha preenchido todas as informações, menos uma: NOME DO GRUPO.

Humm. A gente ainda precisava bolar um nome bacana e estiloso.

Algo como... Pelúcias... Púrpuras... Venenosas... do... Apocalipse? NÃO!!

Ou talvez Unhas... Postiças... Esfomeadas... Histéricas? NEM PENSAR!!

Então, escrevi no espaço para o nome da banda: "Na verdade, ainda não sei".

Entreguei o formulário para a secretária, peguei a mochila e voei pelo corredor até a sala de música.

Não fazia ideia do que esperar.

Nós tínhamos menos de oito dias para escolher uma música e aprender a tocá-la bem o suficiente para NÃO pagar um MICO daqueles.

Também conhecido como

MISSÃO IMPOSSÍVEL.

O Theodore toca violoncelo na orquestra do colégio, e o melhor amigo dele, o Marcus, toca violino. Eles ficam na primeira fila, o que significa que são os melhores em seus instrumentos.

Fiquei muito impressionada com o fato de que eles começaram tocando música clássica e passaram para as músicas do topo das paradas. Se bem que não deve ser tão difícil, considerando que os dois juntos têm um QI mais alto que o do restante do colégio inteiro.

Esses caras fazem com que EU (que me considero uma tonta) pareça uma pessoa supersociável.

Para eles, uma conversa bacana é um debate sobre qual é a arma tecnologicamente mais avançada: o sabre de luz de *Guerra nas estrelas* ou o phaser de *Jornada nas estrelas*.

A Violet está sempre sozinha e passa horas e horas praticando peças clássicas de piano. Ouvi falar que ela tocou em competições por todo o país e ganhou várias.

Mas tocar música pop no teclado é algo muito diferente, e eu estava preocupada que ela fizesse o Justin Bieber soar como Bach e a Miley Cyrus como Mozart.

Porém o nosso maior problema é que não tínhamos baterista, o que me deixava muito tensa. Como teríamos chance de ganhar sem alguém na bateria?!

Quando entrei na sala de música, todos já estavam lá se aquecendo.

Fui pega de surpresa ao ver as costas de um cara abaixado, ajustando a bateria. Quer dizer que nós tínhamos um baterista??!!

Daí ele se levantou, virou na minha direção, sorriu e acenou para mim. E eu praticamente PIREI!

O Theodore tinha chamado o BRANDON?!

Eu nem sabia que o Brandon tocava bateria!

Fiquei ali parada feito uma idiota, olhando para ele e para o resto da banda, depois para ele e de novo para o resto da banda, para ele e mais uma vez para o resto da banda, depois para ele de novo.

Isso durou um tempão, pareceu uma ETERNIDADE!

Então o Brandon meio que deu de ombros e disse: "Ãããã, Nikki, tá tudo bem?! Parece que você vai ter um piripaque ou algo assim".

E eu, tipo: "Quem, EU? Tá tudo ótimo! Por que teria algo ERRADO? Tô superbem!"

Mas eu estava CHOCADA, pois NÃO conseguia acreditar que eu FINALMENTE tinha minha própria banda, e o meu PAQUERA, o Brandon, estava lá tocando bateria.

Fiquei, tipo: "ÊÊÊÊÊÊÊÊ!!" ☺!!

Daí começamos a falar sobre música e eu aprendi muita coisa nova.

Por exemplo: os músicos podem tocar "de ouvido" ou lendo a partitura.

Os mais talentosos podem ouvir uma música e em poucos minutos aprender a tocá-la.

Os outros podem pegar a partitura e ler os acordes e as notas, o que é muito mais fácil.

Mas quer saber? Minha banda é TÃO talentosa que nem precisa de partitura!

Sugeri a música antigona "Don't Stop Believin'", porque é uma das favoritas do meu pai. É engraçado que todo mundo tenha voltado a curtir essa música depois que a usaram num programa de TV.

Cada integrante da banda descobriu rapidinho o que tinha de fazer, e em dez minutos já estavam todos tocando juntos.

Foi INCRÍVEL de ver e ouvir!!

Daí o Theodore falou que eles estavam prontos para que eu começasse a cantar e me passou o microfone.

Eu tremia tanto que pensei que fosse deixar o microfone cair.

É claro que murmurei: "Testando, um, dois, testando, um, dois! Esse troço tá ligado?", feito uma idiota.

Estava ligado, e minha voz estava saindo em alto e bom som.

Assim como as borboletas no meu estômago.

Depois que eles tocaram a introdução da música, fechei os olhos, respirei fundo e comecei a cantar.

A gente fez um som muito, muito legal. Bom, muito legal para uma banda que estava junta fazia, tipo, trinta minutos.

Quando finalmente terminamos a música, o Theodore, o Marcus, o Brandon e a Violet elogiaram muito a minha voz e o jeito que eu cantei, ainda mais sem ter ensaiado antes nem nada.

Mas o meu segredinho é que eu já cantei e dancei essa música um milhão de vezes.

Na frente do espelho, usando a escova de cabelo como microfone.

O que mais me surpreendeu foi que o Brandon é um ÓTIMO baterista!

Mas ele me deixou supernervosa, porque ficou, tipo, me ENCARANDO o tempo todo.

Fiquei vermelha e sorri para ele. Daí ele ficou vermelho e sorriu para mim.

E, quando ele achou que eu não estava olhando, me encarou DE NOVO!

Daí eu fiquei vermelha e sorri DE NOVO! E ele ficou vermelho e sorriu também!

E todo esse lance de encarar, ficar vermelho e sorrir durou, tipo, uma ETERNIDADE!!

Agora estou começando a me perguntar se o Brandon gosta de mim como MAIS do que uma simples amiga!!

E, se ele GOSTAR, vou simplesmente DESMAIAR de choque e alegria extrema!

Até escrevi um poema sobre ele.

MORTE PELO BATERA
De Nikki Maxwell

Tam-tam!
É o barulho do tambor.
Como a batida sem fim
do meu coração apaixonado.

Rá-tá-tá!
É o barulho da caixa.
Como as frágeis balas de esperança
penetrando a nuvem de puro nada que sou.

Tshh! Bang! Tshh!
É o barulho dos pratos.
Como eu, desajeitada,
derrubando aquela pilha de cadeiras dobradas
porque você me deixa insana de nervosa.

A sua pele brilha na luz do sol?
Provavelmente não!
Mas seus olhos intensos me sufocam
e seu sorriso gentil fere mortalmente
minha alma cansada.

Meu coração perde a BATIDA
e de repente... PARA!
Dominado por quão incrível é VOCÊ!
Me dê liberdade!
Ou me dê... MORTE pelo batera!

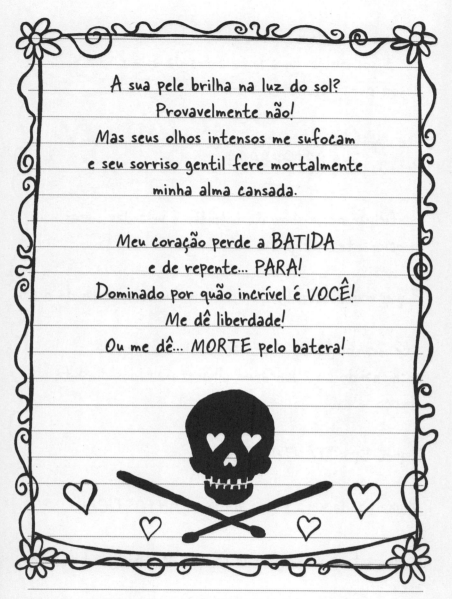

Quando me dei conta, já tinha passado uma hora e as aulas iam começar.

Como o show de talentos já é no próximo sábado, decidimos ensaiar uma hora antes da aula e uma hora depois durante a semana toda.

Isso significa que vou passar bastante tempo com o Brandon ☺!! ÊÊÊÊÊÊÊÊÊÊ!!

Participar desse show de talentos é uma das coisas mais emocionantes que já fiz na vida.

Fiquei muito feliz e super de bom humor o resto do dia.

Até mesmo quando vi a MacKenzie e a Jessica cochichando e me lançando olhares malvados durante o almoço.

Fiquei, tipo: "TANTO FAZ!"

Minha banda nova é mais do que FANTÁSTICA!!

E agora tenho uma grande chance de ganhar a bolsa de estudos.

☺!!

SÁBADO, 23 DE NOVEMBRO

Eu tinha planejado passar a noite toda pensando em ideias para a minha banda.

O show acontece daqui a menos de uma semana, e ainda precisamos criar um nome, escolher uma música e decidir o que vestir.

Infelizmente, meus pais anunciaram que hoje seria a noite do filme em família e insistiram para que eu descesse e assistisse com eles a um filme alugado.

Minha criança interior gritou: "NÃÃÃÃÃÃOOO!!"

CARAMBA! Isso sim é que é TORTURA!!

É SEMPRE um filme SUPERvelho, que já passou um milhão de vezes na TV, como *Os caçadores da arca perdida*, *Guerra nas estrelas* ou *O senhor dos anéis*.

Meu pai diz que adora alugar esses filmes para ver todas as cenas que foram cortadas da versão exibida no cinema.

O que ele NÃO entende é que os diretores cortaram essas cenas por alguma das seguintes razões:

Razão número 1: eram cenas RUINS. Razão número 2: eram cenas CHATAS.

E eu, tipo: "Pai, tá de brincadeira? Fazer a gente assistir a esses filmes pela sétima vez já é HORRÍVEL. E agora ainda temos que ver duas horas a mais de cenas RUINS e CHATAS?! Prefiro pegar um balde de pipoca e assistir à torneira da pia pingar".

Mas isso tudo eu disse dentro da minha cabeça, então só eu mesma escutei.

Os filmes favoritos da minha mãe são velharias do tipo: *Querida, encolhi as crianças*, *Sexta-feira muito louca*, *Legalmente loira* e *De repente 30*.

São filmes que eu ODEIO um pouco menos do que os preferidos da Brianna: *A princesa de pirlimpimpim salva a ilha dos bebês unicórnios!*, partes 1, 2, 3, 4 e 5. A voz da princesa de pirlimpimpim parece a de um esquilo que inspirou gás hélio...

"Não se preocupem, bebês unicórnios queridos, fofinhos e adoráveis. Eu, a princesa de pirlimpimpim, estou aqui para salvá-los! DE NOVO! Pela quinta vez! Porque eu sou QUERIDA, FOFINHA e ADORÁVEL, como todos VOCÊÊÊS!!"

Os filmes da noite do filme em família são TÃO RUINS que eu adoraria pegar a varinha mágica cor-de-rosa da princesa de pirlimpimpim e usá-la para me teletransportar para a lua.

POR QUÊ?

PARA SER FISICAMENTE IMPOSSÍVEL MEUS PAIS ME FORÇAREM A ASSISTIR A ESSE LIXO!!

Só por isso!!

Só tô dizendo...!!

☹!!

DOMINGO, 24 DE NOVEMBRO

Hoje meus pais saíram para jantar e me pediram para cuidar da Brianna.

Primeiro fiquei, tipo: "NEM PENSAR" ☹! Mas acabei aceitando depois que eles disseram que me pagariam.

Preciso do dinheiro para fazer umas camisetas superlegais para a minha banda.

Vamos ficar INCRÍVEIS de camisetas iguais e jeans quando tocarmos no show de talentos.

Vai dizer que eu não sou BRILHANTE ☺?!

Enfim, a pior parte de cuidar da Brianna é que ela sempre SE APROVEITA da situação.

E, como estou sendo paga, ela age como se eu fosse a AMIGUINHA DE ALUGUEL dela ou algo do tipo.

Isso significa que, nas últimas duas horas, aguentei bravamente uma apresentação mais do que desafinada da Brianna e da Bicuda cantando o sucesso "Single Ladies"!...

"Nikki, vou ser backing vocal da Bicuda quando ela começar a turnê mundial!"

ALÉM DISSO, tive que comparecer ao chá da princesa de pirlimpimpim vestida como uma bisavó, na companhia de uma boneca e de um grupo diversificado de animais de pelúcia...

Você deve achar que, depois de eu ter suportado todas essas chatices, a Brianna ficou agradecida e NÃO aprontou nada no jantar.

Mas NÃÃÃÃO!!

Minha mãe me pediu para NÃO deixar a Brianna sair da mesa antes de comer TODOS os brócolis.

E a Brianna só ficou lá sentada, mexendo os brócolis pra lá e pra cá com o garfo, como se estivesse jogando minigolfe ou algo assim.

Eu disse que ela tinha duas opções: ou comia aquilo, ou ficava ali sentada por mais 45 minutos, até a hora de ir para a cama.

É claro que ela ficou toda irritadinha com essa história.

Saí da mesa para colocar meu prato e meus talheres na lava-louça.

Quando voltei, fiquei surpresa ao ver que o prato da Brianna estava completamente limpo e ela estava com um sorriso angelical de uma orelha à outra.

Quase dava para ver a auréola.

Achei aquilo bastante suspeito.

223

"Brianna, tem CERTEZA que você comeu todos os brócolis?!"

Ela assentiu com a cabeça e continuou sorrindo como um palhaço maluco. Mas eu NÃO ia me deixar enganar por uma criança de 6 anos.

Foi quando pedi para ela abrir a boca. Bom, não exatamente a DELA... A boca da Bicuda.

Mas, para a minha surpresa, a Brianna não tinha escondido os brócolis ali.

Então dei um abração nela e falei que a mamãe ia ficar muito orgulhosa.

Ela não disse uma palavra e continuou a sorrir como se estivesse num concurso de miss.

Infelizmente, AGORA eu sei o motivo!

Coloquei a Brianna na cama e fui alimentar os peixes no aquário do meu pai quando percebi que tinha uns trecos verdes e nojentos flutuando na água.

Primeiro achei que fosse alguma espécie letal de alga carnívora ou algo assim.

Mas, olhando mais de perto, notei que parecia muito... Veja só... Veja só...

BRÓCOLIS MASTIGADO!! EEEECAAA!! QUE NOJO!

Quase devolvi a carne do jantar ali mesmo, no tapete da sala.

Gritei o mais alto que pude:

"BRIANNA! você CUSPIU brócolis no aquário?!! Desce JÁ aqui para limpar essa sujeira! AGORA MESMO!!"

Eu estava tão FURIOSA que podia ter ESTRANGULADO a minha irmã!

Eu sabia que ela só estava fingindo dormir.

O que significa que *EU* tive que limpar aquela gosma de brócolis do aquário.

Foi a coisa MAIS NOJENTA de TODOS OS TEMPOS!

Cuidar daquela diabinha é um SACO sem tamanho!

Aliás, da próxima vez que os meus pais me pedirem para bancar a babá enquanto eles saem para jantar, EU vou pagar trinta dólares a ELES para FICAREM EM CASA e PEDIREM uma &!@#$% de PIZZA!!

Só tô dizendo!

Bom, pelo menos tenho dinheiro para as camisetas.

Agora só precisamos bolar um nome bem legal para a banda e escolher a música.

☺!!

SEGUNDA-FEIRA, 25 DE NOVEMBRO

Hoje, o meu

PIOR
PESADELO

se tornou realidade ☹!

Depois de uma manhã absurdamente chata na escola, enfim chegou a hora do almoço.

Peguei minha bandeja e estava caminhando até a mesa 9 quando notei a coisa mais estranha.

O refeitório INTEIRO parecia estar olhando fixamente para mim, cochichando e dando risadinhas.

Primeiro, achei que tinha papel higiênico grudado no meu sapato, pois eu havia ido ao banheiro antes.

Ou talvez tivesse uma meleca enorme pendurada no meu nariz.

Mas então vi a MacKenzie do outro lado do refeitório, me olhando de um jeito maligno com um sorrisão no rosto.

E ao lado dela tinha um bando de GDPs, reunidas ao redor do notebook cor-de-rosa de grife dela e morrendo de rir.

Foi quando tive um PÉSSIMO pressentimento.

Minha mente estava a mil por hora enquanto eu desmoronava na cadeira do refeitório.

Será que ela...?!

Teria ela...?!

Ela teria CORAGEM de...?!

Finalmente tive minhas dúvidas respondidas quando o Matt olhou para mim e gritou...

Claro que o refeitório inteiro caiu na gargalhada.

Meu estômago estava embrulhado e eu perdi completamente o apetite.

Fiquei pensando: ELA. NÃO. FEZ. ISSO!!

Mas a MacKenzie FEZ!!

Eu me senti TÃO humilhada! Tentei segurar as lágrimas e engolir o enorme nó na minha garganta.

Queria sair correndo, mas estava chateada demais para conseguir me mexer.

Então fiquei apenas olhando para o meu macarrão com atum.

Eu ia jogar a comida no lixo e sair quando a MacKenzie veio rebolando até a minha mesa.

"Ouvi falar que você e outros TONTOS da SuperDoidos montaram uma banda. Qual é o nome, TONTOLÍCIAS?!"

"MacKenzie, por que você mostrou para todo mundo o vídeo da Queijinho Derretido?! Eu cumpri a minha parte do acordo", falei, ainda segurando as lágrimas.

"E daí? Agora que a Chloe e a Zoey estão na minha equipe, só preciso ter certeza de que não tenho nenhum rival poderoso. E, como ouvi falar que a sua bandinha era mais ou menos boa, achei que essa era

233

a hora certa de mostrar ao mundo a otária sem talento que você é. Foi MAL!"

POR QUE foi que eu resolvi CONFIAR nessa garota?!

"Ei, Maxwell, quero ver você fazer a dança da Queijinho Derretido!", o Matt continuou me provocando, lá da mesa dos atletas.

"Tá, Matt, então eu quero ver *VOCÊ* cuidar da sua higiene pessoal", alguém retrucou. Eu me virei e fiquei pasma ao ver a Chloe e a Zoey paradas do outro lado da mesa. Como elas tinham chegado lá?

A Chloe ainda lançou outro insulto para o Matt enquanto se sentava ao meu lado esquerdo. "Cara, até as moscas estão caindo mortas no chão por causa do seu fedor!"

"É! Você é TÃO podre que eu não daria um tapa na sua cara nem com a mão de outra pessoa", a Zoey acrescentou ao se sentar à minha direita.

Quase desmaiei de tão chocada. Parecia que a gente não sentava juntas para almoçar fazia décadas.

"Tá tudo bem?", a Chloe perguntou, apertando de leve o meu ombro. "Ficamos sabendo do lance do YouTube."

"Na verdade, a gente achou que você e a sua irmã estavam lindas!", disse a Zoey, sorrindo.

Não acreditei na parte do "lindas" nem por um minuto sequer.

Eu parecia uma completa idiota naquele vídeo. E era ÓBVIO que a Chloe e a Zoey estavam apenas mentindo para fazer com que eu me sentisse melhor.

E isso foi uma das coisas mais LEGAIS que elas já fizeram por mim!

Elas são as MELHORES AMIGAS DE TODOS OS TEMPOS! Não mereço amigas como elas.

Eu ia pedir desculpas para a Chloe e a Zoey e tentar explicar tudo quando a MacKenzie começou a dar gritinhos feito uma lunática.

"Chloe! Zoey! O QUE vocês estão fazendo?! Dei instruções específicas para TODOS os dançarinos sentarem juntos na mesa 4!!"

"Humm, vocês não precisam sentar comigo. A gente pode conversar depois, tá bom?", murmurei.

A MacKenzie revirou os olhos. "Além disso, a Nikki é tão talentosa quanto um desentupidor de privada! CARAMBA, aquele vídeo é tão ruim que dói!"

"Pelo menos eu não sou uma diva superficial e obcecada por moda que nem você. Se o seu cérebro fosse dinamite, não teria o bastante nem para explodir o nariz!", retruquei.

"AH, FAÇA-ME O FAVOR! Você só está com inveja porque não faz parte do MEU grupo de dança. Todo mundo sabe que a gente vai ganhar!", a MacKenzie disse com desdém. "Chloe! Zoey! Escolham: a Nikki ou EU! E decidam JÁ."

As duas se levantaram lentamente. Eu me senti HORRÍVEL porque elas tinham escolhido a MacKenzie. Mas eu não podia culpá-las.

Eu era a maior TONTA do colégio, e ela era a maior DIVA.

"Bom, fico feliz de ver que vocês finalmente caíram na real. Pelo menos vocês sabem reconhecer uma amiga falsa", disse a MacKenzie, toda cheia de si.

"Não foi nem um pouco difícil escolher", falou a Chloe.

"Concordo. Tem tanta falsidade por aqui que parece que estamos no Paraguai!", exclamou a Zoey.

Fiquei encarando minhas amigas. Parecia que eu tinha levado um chute no estômago.

Então a Zoey colocou as mãos na cintura e deu um passo na direção da MacKenzie.

"A gente ouviu tudo que você falou para a Nikki. E quer saber? Você REALMENTE precisa parar de ser tão arrogante. Fica difícil de respirar com essa sua atitude nojenta!"

NÃO DAVA para crer que a Zoey tinha dito aquilo!

A Chloe cruzou os braços e concordou com a cabeça.

"É, cansei dessa palhaçada, *chica*. Não dá para você tratar a nossa amiga desse jeito e ficar numa boa. Ah, e mais uma coisinha... TÔ FORA DO GRUPO!!"

"EU TAMBÉM!", acrescentou a Zoey.

"O quê?! Vocês NÃO PODEM sair!", a MacKenzie gemeu.

"Pois ACABAMOS DE SAIR!", falou a Zoey.

238

"É, que parte de 'Tô fora' você NÃO entendeu?!", a Chloe perguntou.

A MacKenzie estava tremendo de raiva e apertou com tanta força a garrafa de plástico que tinha na mão que voou água por todo lado!

"TUDO BEM! Eu não preciso de vocês mesmo! Só fiquem fora do meu caminho ou vão se arrepender!", ela grunhiu. Daí saiu pisando duro até a mesa das GDPs.

Fiquei TÃO feliz que as minhas amigas tinham me escolhido em vez da MacKenzie. E elas me defenderam, ainda por cima!

Demos um abraço coletivo ali mesmo na mesa 9.

"Bom, acho que não vamos participar do show de talentos no fim das contas", a Zoey comentou.

"É! É assim que funciona o showbiz!", acrescentou a Chloe, balançando as mãos.

"Ei, tenho uma ideia!", falei. "Por que vocês não se juntam à nossa banda? Vamos ensaiar hoje depois da aula. A gente podia ter mais duas cantoras!"

"Não sei...", disse a Chloe.

"É", a Zoey concordou, "tô meio cansada de todo esse drama."

"Por favor!", implorei. "Seria como na época do Balé dos zumbis. Aquilo foi tão divertido!"

"É mesmo. Foi DEMAIS!", a Chloe concordou.

"Apesar de a gente ter tirado zero", acrescentou a Zoey, melancólica.

"Bom, antes de vocês dizerem NÃO, pelo menos venham ao ensaio de hoje", pedi.

"Acho que é justo", a Chloe falou.

"Mal posso esperar para ouvir a banda de vocês!", disse a Zoey.

Dava para ver a MacKenzie nos encarando do outro lado do refeitório e cochichando com a Jessica.

Mas nada disso importava.

Eu finalmente tinha feito as pazes com as minhas melhores amigas! ☺!!

TERÇA-FEIRA, 26 DE NOVEMBRO

A gente se divertiu DE MONTÃO no ensaio de ontem!

A Chloe e a Zoey ficaram superimpressionadas. E, como elas já conheciam todo mundo, se deram muito bem com o pessoal.

Agora elas são membros oficiais da banda, vão dançar e fazer backing vocal ☺!

Mal consigo acreditar que eu e as minhas melhores amigas vamos participar do show de talentos juntas.

^^^^^^^^^^^^^^^^^^^^^
ÊÊÊÊÊÊÊÊÊÊÊÊÊÊÊÊÊÊÊÊÊ ☺!!

O plano maligno da MacKenzie de me deixar fora do show fracassou. E agora eu me tornei o pior pesadelo dela: uma competição da pesada!

Assim, por justiça poética, decidimos chamar a nossa banda de **TONTOLÍCIAS**

(cortesia da MacKenzie!).

Nós até compusemos uma música inspirada no insulto da MacKenzie.

Tudo começou quando a Violet cruzou os braços e anunciou, cheia de si: "Ei! Eu sou tonta com ORGULHO!"

Daí a gente começou a brincar, disputando para ver qual de nós era a MAIOR tonta. E os caras, tipo: "Dá pra parar com essa palhaçada?"

E a Zoey respondeu: "Na verdade, a gente não está brincando. A gente está... humm... fazendo aquecimento vocal".

"É, e aquecimento vocal é MUITO importante", a Chloe acrescentou e lançou um olhar engraçadinho para os meninos.

Foi quando a Zoey começou a cantar: "Eu tento me dar bem no colégio, mas todo mundo diz que ser tonta é um sacrilégio".

E a Chloe continuou: "Quando a provocação tem muita malícia..."

"Eu me lembro que sou uma super TONTOLÍCIA!", prossegui, entrando no jogo.

Caímos na gargalhada e nos cumprimentamos batendo as mãos.

Os meninos apenas deram um sorrisinho falso e reviraram os olhos. Daí começaram a cochichar.

Eu sabia que eles estavam aprontando alguma coisa e imaginei que tentariam nos superar.

Eu tinha razão!

ELES entraram no jogo TAMBÉM!

Quando vimos, eles estavam dançando e cantando como se fossem rappers profissionais:

"Tonto, nerd, geek, CDF
Você só vê isso em mim
Mas vê se cai fora
E me deixa ser ASSIM!"

Rimos tanto que a nossa barriga chegou a doer.

O mais ESTRANHO é que a música deles tinha uma melodia contagiante e uma batida muito legal. Era o tipo de música que fica na cabeça o dia inteiro.

Apesar de ter sido feita como piada, eu e as meninas realmente GOSTAMOS. Claro, os meninos acharam que a gente estava MALUCA!!!

Mas eles finalmente concordaram em tentar transformar aquilo numa música de verdade. Enquanto a Violet, o Theodore, o Brandon e o Marcus trabalhavam na parte musical, a Chloe, a Zoey e eu pegamos uma folha de papel e terminamos de escrever a letra.

No fim do nosso ensaio, tínhamos feito uma canção muito bacana e original sobre não se encaixar no colégio, sobre ser quem você realmente é.

Preciso admitir que não é algo supersério, tipo um amor perdido ou salvar o mundo.

Mas é a NOSSA música e expressa como nos sentimos. E é isso que importa.

Agora que finalmente temos um nome para a banda, pude começar a trabalhar nas camisetas.

Ouvindo minhas músicas favoritas, fiz uma festa de uma pessoa só com tinta e glitter, que durou até a meia-noite.

Apenas uma palavra é capaz de descrever a minha criação de estilista: "TONTOLÍCIA" ☺!

QUARTA-FEIRA, 27 DE NOVEMBRO

Com tanta coisa acontecendo ao mesmo tempo, ando TÃO distraída. Eu provavelmente esqueceria a minha cabeça, se ela não estivesse grudada no meu pescoço.

Todo mundo na escola parece estar sabendo sobre os TONTOLÍCIAS!

Alguns alunos começaram a se reunir do lado de fora da sala de música para nos ouvir ensaiar.

É quase como se fôssemos uma banda de verdade, com fãs de verdade.

E NÃO apenas um grupo de amigos tontos que adoram música e tocam juntos há menos de uma semana.

A última fofoca é que o grupo de dança da MacKenzie não é mais o favorito.

Acho que essa é uma boa notícia para nós.

E ainda mais para mim, pois ganhar a bolsa de estudos do show de talentos é a ÚNICA maneira de eu continuar estudando aqui.

Pensei em contar para a Chloe e a Zoey sobre o meu pai e todo o resto, mas acho que isso só complicaria tudo.

A última coisa de que preciso é que elas questionem as minhas verdadeiras razões E a nossa amizade DE NOVO.

Mas, ao mesmo tempo, me sinto mal por guardar tantos segredos.

ARRGGH ☹!! Preciso me perguntar:

O QUE O REGINALDO FARIA?!!

Enfim, hoje é o nosso último dia de aula antes do feriado de Ação de Graças.

O ensaio geral para o show de talentos é na sexta, e sábado é o grande dia.

POR FAVOR, POR FAVOR, POR FAVOR,
me deixe vencer para conseguir a bolsa de estudos!!

A boa notícia é que, mesmo se eu NÃO ganhar, provavelmente NÃO vou precisar me preocupar com a mudança de colégio.

POR QUÊ?

Porque, quando os meus pais descobrirem tudo, vão
ME MATAR!

E provavelmente é ILEGAL transferir um
CADÁVER para outro colégio...

Alô, é da polícia? Nós temos uma emergência!
Um casal de pais acabou de deixar uma aluna
aqui, vinda do Westchester Country Day. O
problema é que ela não está respirando...!!

QUINTA-FEIRA, 28 DE NOVEMBRO

Hoje é DIA DE AÇÃO DE GRAÇAS ☺!

Eu AMO MUITO esse feriado.

E o principal motivo é que posso comer o suficiente para alimentar todo o elenco da novela das oito.

Eu e a Brianna ficamos ajudando minha mãe na cozinha, enquanto meu pai foi ao aeroporto buscar minha avó.

Vai ser muito legal passar o feriado com a minha avó, pois não a vemos desde que nos mudamos para cá, no verão passado.

Ela disse que não perderia POR NADA a minha apresentação no show de talentos e que viria para cá mesmo se tivesse de dirigir os quinhentos quilômetros de distância em sua patinete motorizada.

E ela é MALUCA o bastante para fazer isso!

A minha avó disse que todos os amigos dela também têm patinete motorizada. E, por diversão, eles se reúnem e percorrem a cidade como se fossem uma gangue de motociclistas da terceira idade, tomando goles de sal de frutas e espalhando creme fixador de dentadura na maçaneta dos carros estacionados.

Minha avó é meio doida! Quer dizer... MUITO doida!

Mas minha mãe diz que ela é assim porque tem uma personalidade excêntrica e entusiasmo pela vida. Já eu acho que isso tudo é uma maneira educada de dizer que ela está CADUCA.

Mas É IMPOSSÍVEL NÃO AMAR A VELHINHA ☺!!

Aqui está ela com seus três poodles fofos, chamados Larry, Moe e Curly.

MINHA AVÓ →

Enfim, nosso jantar de Ação de Graças foi MARAVILHOSO!

Depois de todo mundo se empanturrar, meu pai acendeu a lareira na sala e sentamos ao redor do fogo para brincar de mímica.

Tive a brilhante ideia de usar o tema "cantoras famosas", e nós sorteamos os nomes em um chapéu.

Quando chegou a vez da minha avó, a gente quase MORREU de rir.

CARAMBA! Ela fez uma imitação PERFEITA da Lady Gaga!

Depois que a brincadeira acabou, a minha avó deu um abraço em cada um de nós. Seus olhos se encheram de lágrimas quando ela anunciou que tinha algo muito importante para dizer.

"Preciso contar a vocês o verdadeiro motivo pelo qual resolvi passar o Dia de Ação de Graças aqui. Estou ficando velha e em breve vou partir numa LONGA viagem. Sei que vamos sentir falta uns dos outros, mas quero que saibam que eu amo muito vocês. Por isso vou dar o presente de Natal de vocês hoje. Especialmente porque NÃO vou estar aqui no Natal e no Ano Novo. Mas VOU estar presente em espírito!"

Então meu pai ficou muito emocionado e começou a chorar. "Mãe, a gente também ama você. Mas por favor não fique falando que vai morrer e nos deixar!"

NOSSA! Foi TÃO triste que até eu comecei a choramingar.

Foi quando a minha avó se virou na cadeira e revirou os olhos como se o meu pai fosse um COMPLETO IDIOTA.

"Mas vou te contar! Quando você era criança, o seu pai deve ter te derrubado de cabeça no chão um punhado de vezes. Quem foi que falou em MORRER?! Vou para Las Vegas com a Gladys e a Beatrice na próxima quarta-feira, vamos ficar duas semanas por lá. De Las Vegas, vamos partir numa viagem de carro até Hollywood, para assistir a uma gravação do programa da Betty White e de *O preço certo*. Só vamos voltar DEPOIS do Natal."

Todos nós demos um GRANDE suspiro de alívio.

Minha avó continuou: "Enfim, antes de ir embora, quero entregar para vocês um presente de Natal! É uma relíquia de família inestimável, passada de geração a geração entre os Maxwell desde 1894. Ou será 1984? Um desses anos, eu esqueço qual. Enfim, é o meu bem mais precioso".

Ela foi até o armário e pegou um embrulho enorme, amarrado com uma fita vermelha brilhante.

Foi quando pensei que, se aquela relíquia de família fosse uma antiguidade supercara, meus pais talvez pudessem vendê-la no eBay, usar a MINHA parte para pagar o colégio e AINDA ficar com milhares de dólares.

Talvez a minha avó tenha vindo nos visitar e entregar o presente de Natal um mês antes como resposta às minhas preces.

QUE NADA!

Quando abrimos a caixa, tinha um balde de ferro SUPERvelho com uma manivela enorme na lateral.

Os olhos do meu pai brilharam e se encheram de lágrimas de novo.

"MÃE, não precisava!!", ele disse, emocionado. "É a máquina de sorvete da vovó Gertrudes. Ela preparava sorvete para mim quando eu era criança!"

Fiquei, tipo: "MARAVILHA!" Já era a minha ideia de vender a herança de família para pagar a conta do colégio ☹!

Nossa suposta relíquia inestimável era uma porcaria que podia virar SUCATA!

No mês que vem, a gente provavelmente vai estar usando aquele treco como lata de lixo reciclável. Então, na nossa grande limpeza anual, minha mãe vai pagar alguém para levar o balde, além de outras preciosidades que o meu pai compra em bazares (como a canoa sem remo), para o lixão da cidade.

Minha avó entregou para a minha mãe uma folha de papel com a receita secreta do sorvete dos Maxwell anotada.

"Eu ADORARIA tomar um sorvete delicioso e cremoso da família Maxwell de sobremesa. Alguém mais?", perguntou minha avó, cheia de orgulho.

A Brianna ficou tão empolgada que começou a dançar. "Ebaaa! Eu quero! Você quer! Todos nós queremos SORVETE!"

"Excelente ideia!!", minha mãe respondeu, enquanto nos levava até a cozinha. "Fazer sorvete juntos é

um ótimo programa para o nosso tempo em família!
Vamos lá, pessoal. A palavra é DIVERSÃO!"

E eu, tipo: "Ah, não! Tempo em família? De novo?
Nãaaaao! ☹!"

Fazer sorvete caseiro parece uma atividade familiar
inofensiva. Certo?

Mas NÃO em uma máquina de sorvete arcaica, de
ferro fundido, movida a manivela.

As coisas ficaram complicadas MESMO quando o
meu pai mostrou para a Brianna o que ele costumava
fazer quando tinha a idade dela.

Quando minha mãe não estava olhando, ele e a
Brianna tentaram dar umas LAMBIDAS no sorvete
que tinha espirrado nas laterais da máquina.

Quem imaginaria que um aparelho tão velho como
aquele chegaria a TEMPERATURAS FUTURISTAS
ABAIXO DE ZERO?!

Você consegue achar DUAS coisas muito ERRADAS nessa imagem?! Só tô dizendo...!!

Depois desse pequeno fiasco, sei muito bem de quem a Brianna herdou a FALTA de inteligência!

Pensei que a língua deles ia congelar, quebrar, cair no chão e se espatifar em um milhão de pedacinhos.

Por sorte, a Brianna e o meu pai só ficaram com uma pequena queimadura do frio. E um caso grave, porém temporário, de língua presa.

Fiquei surpresa ao descobrir que o sorvete da minha mãe tinha ficado DELICIOSO!

Mas sempre que eu me lembrava do meu pai e da Brianna com a língua colada, começava a gargalhar tanto que saía sorvete pelo meu nariz e o meu cérebro CONGELAVA.

Será que é verdade que, se você tomar um banho quente logo após congelar o cérebro, o cérebro derrete e você se transforma numa GDP? Hummm...

Seja como for, tivemos um ÓTIMO DIA DE AÇÃO DE GRAÇAS!

☺!!

SEXTA-FEIRA, 29 DE NOVEMBRO

Hoje foi o ensaio geral para o show de talentos, no auditório do WCD.

O auditório é um espaço mais ou menos novo na escola, capaz de acomodar duas mil pessoas. Só de me imaginar no palco, me apresentando para uma plateia tão grande, eu sentia um frio no estômago.

Os meninos ajeitaram o nosso equipamento enquanto eu, a Chloe e a Zoey fizemos aquecimento vocal.

A Violet ficou com a gente e disse que estávamos ótimas.

A aluna responsável pela produção do show de talentos é a Sasha Ambrose, uma garota supertalentosa do terceiro ano do ensino médio que ganhou a competição por dois anos seguidos.

As borboletas no meu estômago foram substituídas por um nó frio e pesado de pavor quando vi a MacKenzie nos bastidores, cochichando algo para a Sasha e apontando para mim ☹!

Todos os participantes estavam reunidos no auditório e aguardavam ansiosamente que a Sasha dissesse qual era o camarim de cada um e divulgasse a ordem das apresentações.

Havia dezoito grupos no total, e ela chamou um por um, EXCETO os Tontolícias.

Depois que todos os outros foram para os bastidores, ela fez um sinal para que nos sentássemos nas cadeiras da frente.

Claro que estávamos preocupados por não ter sido chamados, como os outros foram.

A Sasha pegou a nossa ficha de inscrição, leu e sacudiu a cabeça. "Afinal, qual o nome do grupo de vocês?"

"Tontolícias!", todos nós respondemos juntos.

"Bom, infelizmente tenho más notícias. Chamaram a minha atenção para o fato de que o prazo final para entrega das fichas de inscrição era na sexta-feira, 22 de novembro. E aqui diz claramente que quem não entregasse a ficha completa seria desclassificado."

Eu não fazia a menor ideia do motivo pelo qual ela estava falando aquilo tudo.

Eu mesma tinha preenchido a ficha na secretaria e entregado ANTES do prazo final.

Começamos a entrar em pânico e a falar ao mesmo tempo.

A Sasha levantou a mão, pedindo para que fizéssemos silêncio. "Escutem, pessoal, sinto muito, mas regras são regras!"

"Não entendo", eu disse. "Eu preenchi a ficha e entreguei pessoalmente. Como podemos estar desclassificados?!" Eu estava à beira das lágrimas.

"Sim, a ficha FOI entregue no prazo", ela respondeu. "O problema é que está INCOMPLETA! Não diz aqui que o nome da banda é Tontolícias."

Ela me entregou a ficha e todos se reuniram ao meu redor para ler.

No espaço para preencher o nome do grupo, eu tinha escrito: "Na verdade, ainda não sei".

Meu coração se partiu! Todo mundo sacudiu a cabeça, em choque e sem poder acreditar.

Amassei a ficha e a enfiei no bolso enquanto os meus olhos se enchiam de lágrimas. "Foi MAL, pessoal!", murmurei. "Acho que ela tem razão. A culpa é toda minha. Nem sei o que dizer..."

"NÃO DÁ para acreditar!", a Violet exclamou. "Nikki, como você pôde esquecer algo tão importante?"

Apenas dei de ombros e olhei para o chão.

Foi quando o Brandon veio em minha defesa.

"Pessoal, a gente precisa lembrar que esse lance de banda foi meio de última hora. A gente não tinha nome ainda."

A Sasha começou a falar algo no fone de ouvido com microfone e as luzes do auditório diminuíram de repente.

As cortinas se abriram e no palco estava o primeiro grupo, uma banda de rap composta por alunos do sétimo ano vestidos de cachorro. Eles iam cantar a música "Who Let the Dogs Out?".

Torci para que fosse um número de comédia.

"Isso é TÃO injusto!", grunhiu a Chloe.

"Deve ter algo que a gente possa fazer!", a Zoey resmungou.

"Assim é o showbiz!", a Violet disse, sarcástica.

A Sasha nos olhou feio e cobriu o microfone. "Não sei se vocês perceberam, mas estou tentando organizar um show aqui. Vão para o corredor. Por favor!"

Suspiramos e saímos lentamente do auditório escuro. Daí, ficamos juntos do lado de fora, lamentando o fim dos Tontolícias.

Todo mundo estava TÃO frustrado. Era de partir o coração.

NÃO DAVA para acreditar que eu tinha decepcionado o pessoal daquele jeito.

Eu me sentia a pior amiga do UNIVERSO!

Não sabia o que dizer, então só me desculpei de novo.

"Pessoal, peço MIL desculpas. Não consigo acreditar que a gente não vai se apresentar depois de tantas horas de ensaio. Eu queria poder consertar isso de alguma forma..."

Todo mundo deu um sorrisinho e sacudiu os ombros.

"Ah, e daí? Só nos expulsaram do show de talentos. NÃO É o fim do mundo", a Chloe disse, sorrindo de um jeito brincalhão.

"E com a Mulher Dragão comandando as coisas, não podemos nem ir até os bastidores pegar o nosso equipamento", disse o Theodore. "Fui! Alguém topa uma pizza?"

"É, a gente pode pegar nossas coisas depois do show amanhã", o Marcus acrescentou. "Pizza me parece uma ÓTIMA ideia!"

Todo mundo começou a se animar um pouco e concordou em ir à pizzaria do outro lado da rua. O que era uma boa ideia, já que nossos pais só nos buscariam dali a duas horas.

Mas eu ainda me sentia horrível, e meu estômago estava revirado. Fiquei enjoada só de pensar em pizza.

"Desculpa, pessoal, mas estou exausta. Acho que vou pra casa."

"Que é isso, Nikki. Não fique se culpando!", implorou o Brandon.

"É, a gente fez o melhor que pôde!", a Violet acrescentou.

"E, mais importante que isso, a gente se divertiu ensaiando juntos, né?!", a Chloe disse e me deu um abraço.

273

"Acho que sim. Escutem, vão vocês. Eu vou encerrar por aqui, tá? Comam um pedaço de pizza por mim", falei, dando um sorriso fraco.

Eles finalmente desistiram de tentar me convencer a ir junto.

Apesar de todo mundo ter ficado triste com a nossa desclassificação, eles estavam tentando levar isso numa boa.

Eu NÃO mereço amigos como eles!

Pude ouvi-los rindo e brincando enquanto saíam pela porta.

Encontrei um orelhão e liguei para casa para pedir que alguém fosse me buscar. Enquanto eu estava sentada junto à porta, esperando minha mãe chegar, comecei a me sentir ainda pior.

Ganhar uma bolsa de estudos no show de talentos era minha única esperança para continuar no colégio.

E agora perdi essa oportunidade.

Enfiei o rosto entre os joelhos e chorei.

De repente, ouvi passos se aproximando.

Sequei rapidinho as lágrimas do rosto e limpei o nariz na manga da camiseta.

"Nikki, você está horrível!", a MacKenzie disse, debochada. "Credo, que gloss é esse que você está usando?! Ah, não é gloss... é RANHO!"

Fiquei, tipo: "QUE MARAVILHA!" Revirei os olhos para ela.

"Ouvi falar que os Tontolícias foram desclassificados. Que pena! Ainda bem que a Jessica é voluntária na secretaria e pôde conferir a ficha de inscrição de vocês, para ver se não estavam roubando."

"MacKenzie, eu não estava roubando. A gente ainda não tinha decidido o nome da banda..."

"Bom, veja pelo lado positivo. Pelo menos agora você não vai ter que subir no palco e passar vergonha em público. DE NOVO! E agora, sem os Tontolícias E os SuperDoidos, vai ser fácil ganhar!"

"MacKenzie, você é um poço desprezível de vaidade e egocentrismo!", desabafei.

Ela sorriu de um jeito maligno. "Você diz isso como se fosse algo RUIM!"

Daí ela pegou o gloss e passou mais uma camada nos lábios.

"Enfim, eu não vim aqui para falar com VOCÊ. Agora que o Brandon não está mais no show de talentos, a Sasha precisa dele para tirar as fotos."

"Infelizmente, ele saiu faz um tempinho."

A MacKenzie me olhou com atenção, tentando descobrir se eu estava mentindo ou não.

"Bom, se você encontrar com ele, por favor diga que eu e a Sasha precisamos falar com ele."

"E desde quando eu sou a sua secretária? Se você tem um recado para o Brandon, dê você mesma!"

Ela colocou as mãos na cintura e deu outro sorriso maligno. "Tá a fim dele? Se liga, garota. Quer o Brandon? VAI SONHANDO!!" Daí ela se virou e saiu rebolando pelo corredor.

Eu ODEIO quando a MacKenzie rebola.

Naquele momento, a minha mãe chegou e eu me arrastei até o carro.

"E aí, o ensaio acabou mais cedo?", ela perguntou.

"É, mais ou menos isso", murmurei.

Assim que cheguei em casa, corri até o meu quarto e desabei na cama.

Fiquei deitada no escuro, refletindo sobre a minha situação desesperadora.

Eu era uma PERDEDORA COMPLETA!

E uma amiga PATÉTICA!

Quero acreditar que as coisas estão tão ruins que não podem piorar.

Mas eu sei que tudo vai ficar bem pior.

Pior DE MONTÃO!

Amanhã de manhã vou ter que contar aos meus pais a verdade sobre TODA essa situação! ☹!!

SÁBADO, 30 DE NOVEMBRO

Quando finalmente acordei, já era quase meio-dia.

Saber que eu teria de encarar os meus pais me deixou um pouco enjoada.

Além disso, o sol batia nos meus olhos e eu estava com uma baita dor de cabeça.

Fiquei surpresa ao notar que eu ainda estava usando as roupas de ontem. Agarrei o travesseiro, resmunguei e enfiei a cabeça debaixo dele.

De repente, escutei uma batida na porta, mas preferi ignorar.

Quase todos os sábados de manhã, a Brianna e a Bicuda me acordam. Mas hoje era o meu dia de sorte.

Antes que eu pudesse gritar: "VAI EMBORA!", a Brianna, a Bicuda E a minha avó invadiram o quarto.

Uma dose TRIPLA de LOUCURA poderia muito bem arruinar o que restava da minha realidade patética.

Foi o suficiente para me deixar com vontade de fugir gritando pela janela do quarto.

"Acorda! Acorda!", a Brianna gritou. "Eu, a vovó e a Bicuda precisamos da sua ajuda para fazer sorvete caseiro!"

Minha avó sentou ao meu lado na cama e começou a me fazer cócegas. "Hora de acordar, sua preguiçosa!"

"Para, vó, por favor! Não tô me sentindo bem! Tô exausta!"

"E não é pra menos. Não tem como dormir bem com toda essa tralha em cima da cama. Mochila, livros, tênis e...?"

Ela pegou uma folha de papel amassada que tinha caído do meu bolso.

"...lixos variados. Isso aqui é importante ou posso jogar fora?", ela perguntou, desdobrando a folha e lendo o que estava escrito. Ajeitou os óculos e espremeu os olhos para enxergar melhor.

"Ah, ISSO. Não é nada importante. Pode jogar fora!", murmurei.

Voltei a enfiar a cabeça debaixo do travesseiro, torcendo para que a minha avó e a Brianna se ligassem e caíssem fora.

"Tem certeza, querida? Isso parece importante, hein? Ficha de inscrição para o show de talentos do WCD.

Então o nome da sua banda é Na Verdade, Ainda Não Sei. Soa meio estranho, não acha?"

"A Bicuda disse que está procurando bolinhos de chocolate. Tem algum por aqui, Nikki?", a Brianna perguntou, enquanto fuçava na minha gaveta de meias.

Foi quando eu dei uma espiada por debaixo do travesseiro.

"NÃO, Brianna! Não tem bolinho nenhum dentro da minha gaveta de meias. E não, vó! Esse NÃO é o nome da minha banda! Afinal, seria MUITO IDIOTA se..." Parei no meio da frase.

Dentro da minha cabeça, meu cérebro gritava: "AI, MEU DEUS! É ISSO!!"

Eu havia acabado de ter a ideia mais INCRÍVEL de todas! Talvez a nossa banda ainda tivesse uma chance, no fim das contas.

Fiquei tão feliz que dei um abraço na minha avó. "EU TE AMO, VÓ!", gargalhei enquanto pulava para cima e para baixo na cama.

Minha avó subiu na cama e começou a pular também. "Eu também te amo, querida! Que bom que você está se sentindo melhor."

"Ei, e EUUUUUU?!", a Brianna cobrou. "E a Bicuda. A gente também quer pular!"

Nós quatro demos as mãos e ficamos pulando na minha cama como se fosse um trampolim ou algo do tipo.

Prometi ajudar com o sorvete assim que fizesse uns telefonemas.

Então a minha avó e a Brianna desceram correndo as escadas, cantando "Girls Just Want to Have Fun" o mais alto possível, totalmente desafinadas.

Eu mal podia esperar para falar com a Chloe e a Zoey.

Quando contei a minha ideia sobre como poderíamos voltar a participar do show de talentos, elas acharam genial.

Depois ligamos para a Violet, o Brandon, o Theodore e o Marcus e combinamos de encontrar a Sasha para informar a ela nossa nova situação.

Minha tarefa final era fazer um grande ajuste nas camisetas da banda.

Mais tarde, tudo correu conforme o planejado e nós encurralamos a Sasha nos bastidores.

Desamassei o melhor que pude a ficha de inscrição e entreguei a ela.

Porém, antes que a Sasha pudesse ler a ficha, a MacKenzie apareceu correndo. "Nikki Maxwell, O QUE você está fazendo aqui? A Sasha já disse que os Tontolícias estão desclassificados!"

"MacKenzie, não vamos participar do show de talentos como Tontolícias", respondi alegre. "Nosso formulário está correto."

Ela parecia totalmente confusa. "O QUÊ?! Se vocês não são os Tontolícias, quem são vocês?!"

Ela não fazia ideia.

A Sasha leu a nossa ficha e concordou com a cabeça. "É, faz sentido. Se esse é o nome da banda, vocês podem participar do show..."

"O QUÊ?! Como eles podem participar do show? Nikki, você não vai escapar dessa!", a MacKenzie gritou, batendo o pé no chão como uma criança mimada tendo um chilique. "Não é JUSTO!!"

"Até mais, MacKenzie!", falei. "Quebre a perna!"

286

E eu desejava MESMO que isso acontecesse. Tá bom, só um pouquinho.

A notícia de que estávamos de volta e que a competição seria pesada se espalhou rapidamente.

Depois que o show começou, nos sentamos no camarim e ficamos assistindo às outras apresentações por um monitor de TV.

Teve números de mágica, grupos de dança, bandas, cantores, músicos, e a maioria era muito boa.

Ganhar o show de talentos NÃO seria nada fácil.

Depois de mais ou menos uma hora e meia, a assistente de palco finalmente nos levou aos bastidores e pediu que esperássemos ali, pois seríamos os próximos.

O grupo de dança da MacKenzie estava se apresentando, e preciso admitir que eles eram muito bons.

Vestindo macacões de paetê, eles dançaram loucamente ao som de um mix com os últimos sucessos da música pop.

A plateia enlouqueceu.

Como a nossa banda voltou de última hora à competição, seríamos os últimos a se apresentar.

A Violet e os meninos entrariam pelo lado esquerdo do palco, e a Chloe, a Zoey e eu entraríamos pelo direito.

Enquanto esperávamos, meu estômago começou a dar saltos mortais duplos.

Eu devia estar tendo um ataque de pânico ou alguma coisa assim, porque meu cérebro gritava coisas como: "O QUE você está fazendo?! Você NÃO PODE cantar na frente de todas essas pessoas! E se você ESTRAGAR TUDO?! A sua vida estará ARRUINADA!!"

Mas eu queria tanto a bolsa de estudos que não tinha escolha.

A Chloe e a Zoey devem ter sentido que eu estava apavorada, porque apertaram a minha mão e disseram que ia dar tudo certo.

Meus joelhos tremiam. Mas era bom saber que, se eles afrouxassem e eu caísse, a Chloe e a Zoey estariam ali para me arrastar pelo palco e colocar o microfone na minha mão.

Elas são, tipo, as MELHORES amigas de TODOS OS TEMPOS!

Não dá para explicar o que eu senti ao ouvir o barulho da plateia quando o apresentador nos anunciou...

"A próxima apresentação é uma banda composta por Nikki, Chloe, Zoey, Brandon, Violet, Theodore e Marcus. Deem boas-vindas à banda...

NA VERDADE, AINDA NÃO SEI!!"

Eu AMEI o nosso novo nome! Parecia ousado e profissional, como as bandas de verdade que aparecem na MTV!

Caminhamos rapidamente pelo palco e assumimos nossas posições.

Olhei nervosa para a plateia e espremi os olhos para tentar encontrar rostos conhecidos. Mas, com o brilho dos holofotes, a plateia não passava de um grande borrão de ruído, expectativa e escuridão.

Isso era bom, pois eu ficava menos nervosa sem poder enxergar um milhão de pessoas me encarando.

Olhei por cima do ombro e o Brandon me deu um sorrisão e fez sinal de positivo com o dedo.

Então ele bateu quatro vezes com as baquetas, indicando para que a Violet, o Theodore e o Marcus começassem a tocar a introdução da música com ele.

CARAMBA! O som estava TÃO legal! Parecia que eu estava ouvindo uma música bombando no meu iPod, e não quatro amigos meus tocando ao vivo.

A Chloe, a Zoey e eu começamos a fazer nossos passos de dança do jeito que tínhamos ensaiado.

Daí eu sorri para elas, respirei fundo e cantei a primeira nota.

No começo, foi meio chocante ouvir minha voz em alto e bom som no auditório. Mas tentei relaxar e curtir a apresentação.

Quando chegamos ao refrão...

"Tonto, nerd, geek, CDF
Você só vê isso em mim
Mas vê se cai fora
E me deixa ser ASSIM!"

...pude ver que o pessoal nas duas primeiras filas tinha se levantado e estava dançando.

Quando acabou a apresentação, a plateia vibrou loucamente e aplaudiu de pé!

Eles amaram a nossa banda!

A Chloe, a Zoey e eu nos abraçamos, enquanto os músicos se cumprimentavam com tapinhas e batidas de mão.

Eu estava torcendo MUITO para que ganhássemos. A gente TINHA que vencer!!

Todos os grupos se reuniram nos bastidores ao redor da gente.

A MacKenzie e o grupo de dança dela estavam à nossa direita. Ela sorriu de um jeito meigo para o Brandon e disse: "Vocês arrasaram! Boa sorte!"

"Valeu! Pra você também!", ele respondeu educado.

Então ela se virou e me olhou como se eu fosse uma coisa nojenta que ela tivesse arrancado da sola do sapato.

O que não me surpreendeu nem um pouco.

Quando o Trevor Chase, o juiz, subiu no palco, a tensão era tanta que parecíamos prestes a explodir.

"Como vocês puderam perceber, TODOS os participantes foram muito, muito bem. Eu incentivo cada um de vocês a continuar praticando e se aperfeiçoando. Mas hoje só pode haver um vencedor. E o vencedor..."

Prendi a respiração e repeti em minha mente: "Por favor, que seja a gente. Por favor, que seja a gente. Por favor, que seja a gente!"

"...do Décimo Show de Talentos do WCD é...
Maníacas da Mac!"

A MacKenzie deu um gritinho e abraçou a Jessica, enquanto as outras dançarinas ao redor dela se abraçavam.

Fiquei TÃO decepcionada que tive vontade de chorar.

Eu não fiquei triste porque perdemos, e sim porque eu teria que sair do colégio e perderia os meus amigos.

Acho que o resto da banda ficou meio surpreso com o resultado, mas tentou levar na esportiva.

Depois que saímos do palco, nós nos abraçamos. E todo mundo falou que eu cantei muito bem.

"Nikki, foi TÃO divertido!", a Violet comentou, animada. "A gente não ganhou, mas assim é o..."

"SHOWBIZ!", todos nós gritamos juntos e caímos na gargalhada.

Mas lá no fundo eu me sentia péssima, pois sabia que em breve teria de me despedir de todo mundo.

Meus olhos se encheram de lágrimas, mas eu não queria que os meus amigos me vissem chorando.

"Ããã, minha garganta tá meio seca. Vou ali no corredor beber água. Já volto, beleza?", anunciei e saí antes que alguém pensasse em me acompanhar.

Fui direto para o banheiro feminino e joguei água no rosto. Eu não conseguia nem pensar que teria de contar aos meus pais todas as loucuras que eu tinha feito.

De repente, a porta do banheiro se abriu e a MacKenzie passou por mim toda apressada.

"Dá licença!", ela disparou, enquanto pegava o estojo de maquiagem. "Tenho uma sessão de fotos agora."

Eu só revirei os olhos.

"Que pena que você perdeu! Tentei avisar para você não perder seu tempo. Pelo menos o meu armário FINALMENTE vai ficar ao lado do da Jessica, agora que você vai estudar num colégio público! Desde que o seu pai foi contratado como dedetizador, o nosso colégio anda cheio de insetos."

Ela continuou: "Além disso, você é muito pobre para pagar a conta que recebeu pelo correio na semana passada, então..." A MacKenzie fez uma cara esquisita e mordeu o lábio. Daí pegou o gloss e, nervosa, passou mais uma camada.

Eu queria falar para ela não se meter nos meus assuntos e que ela não fazia ideia do que estava falando. Se bem que, para ser sincera, ela sabia EXATAMENTE do que estava falando, pois eu não conseguiria DE JEITO NENHUM pagar a conta do colégio e...

De repente, a ficha caiu. A MacKenzie sabia EXATAMENTE do que estava falando, mas COMO isso era possível? Como ela sabia sobre a conta, e por que estava toda nervosa e desviando o olhar agora?

Coloquei as mãos na cintura e olhei fixo para aqueles olhinhos redondos. "Então, MacKenzie... COMO você sabe que eu recebi a conta da escola? A sua amiguinha Jessica também mandou para VOCÊ uma cópia da CONTA FALSA que enviou para MIM?!"

"Bom, ela é apenas a assistente voluntária da secretaria. Ela NUNCA, tipo, enviaria coisas pelo correio para as pessoas..." A MacKenzie começou a gaguejar e ficou vermelha.

Não dava para acreditar no que eu estava ouvindo. As últimas duas semanas da minha vida foram um pesadelo gigantesco e infinito, enquanto eu tentava desesperadamente inventar um jeito de pagar aquele valor.

Depois, eu praticamente surtei com a perspectiva angustiante de ter que mudar de colégio.

APENAS para FINALMENTE descobrir que era só mais uma brincadeirinha cruel da MacKenzie??!!

Eu estava TÃO furiosa que tive vontade de pegar uma das sapatilhas caríssimas da Prada que ela estava usando e enfiar na garganta dela! Dei um passo na direção da MacKenzie.

"VOCÊ e a Jessica me mandaram uma conta falsa?! Eu morri de preocupação pensando em como os meus pais fariam para pagar aquilo. Como você pôde fazer isso?!"

A MacKenzie piscou nervosamente e contemplou seu reflexo perfeito no espelho, então tampou o gloss.

"Não faço a menor ideia do que você está falando."

"MacKenzie, você é uma mentirosa incurável!"

"Além disso, mesmo se a gente TIVESSE te mandado uma conta falsa, você não tem provas! Tem?... OTÁRIA!!"

Depois de falar isso, ela se virou e saiu do banheiro rebolando.

Eu ODEIO quando a MacKenzie rebola!

Se bem que, para ser sincera, eu estava SUPERaliviada de descobrir que a conta tinha sido enviada por ELA e NÃO pela escola.

Parecia que eu estava acordando de um pesadelo de duas semanas.

Bom, eu aprendi a lição, isso é certo!

Chega de segredos! Decidi contar para a Chloe e a Zoey na primeira oportunidade sobre o meu pai e a minha bolsa de estudos.

E, assim que o colégio inteiro soubesse, eu não precisaria mais perder o sono imaginando quando a MacKenzie ia soltar essa bomba.

Só de pensar nisso, era como se um peso enorme fosse retirado dos meus ombros.

Naquele momento, a Chloe e a Zoey entraram correndo no banheiro, sem fôlego.

"Ah, aqui está você! Te procuramos por todos os lugares!", a Zoey disse, ofegante. "A MacKenzie falou que você estava aqui."

"Você NÃO vai acreditar no que aconteceu!" Os olhos da Chloe estavam enormes!

"Depois que você saiu", a Zoey prosseguiu, "o Trevor Chase veio nos parabenizar. Ele disse que o *15 minutos de fama* é para amadores que passam por um treinamento para melhorar, mas que parecíamos profissionais e que somos bons demais para participar do programa. Dá para acreditar NISSO?! Ele disse que só vai começar a filmar a próxima temporada no outono, que vai ser quando o grupo da MacKenzie vai participar dos testes. Mas ele quer trabalhar com a gente AGORA! Nikki, ele AMOU a nossa música e quer lançá-la LOGO!"

"O QUÊ? Você tá de brincadeira?! NÃO ACREDITO!", balbuciei.

"Sério! Ele disse que quer se reunir com a gente e com os nossos pais e que vai entrar em contato depois das festas de fim de ano!", a Chloe continuou.

Nós três começamos a gritar e demos um abraço coletivo.

NÃO DAVA para acreditar que pessoas do mundo todo poderiam vir a escutar a NOSSA música!

E, se a gente ganhasse dinheiro, eu poderia usar a MINHA parte para FINALMENTE comprar um CELULAR ☺!!

Voltei ao auditório e, enquanto eu conversava com os meus pais, o diretor Winston apareceu para me parabenizar.

Rezei para que ele não mencionasse a história da dedetização do colégio.

Mas é claro que ele mencionou!

Parece que os meus pais encontraram o diretor Winston e a mulher dele no restaurante no domingo passado. Ele e o meu pai conversaram e combinaram de se encontrar no sábado seguinte para avaliar o problema dos insetos no colégio.

Ainda bem que o meu pai NÃO foi demitido no fim das contas. Fiquei TÃO aliviada!

Nunca, nem em um milhão de anos, eu imaginei que ficaria feliz por ele ser o dedetizador do WCD.

Mas, mais do que qualquer outra coisa, eu me sentia SUPERagradecida ao meu pai por ele ter conseguido a minha bolsa de estudos. Acho que não valorizei a bolsa até o momento em que percebi que podia perdê-la.

De qualquer forma, eu sei que os ÚNICOS insetos que o meu pai e o diretor Winston vão encontrar no colégio estão num pote no armário da MacKenzie.

Mas aprendi a lição da maneira mais difícil — cortesia da MacKenzie.

Eu NUNCA MAIS vou me meter nos assuntos do meu pai de novo! E isso é uma PROMESSA!

Então fiquei quietinha e não falei nada sobre os insetos do WCD.

Depois que trocamos de roupa, a Chloe, a Zoey e a Violet foram até o camarim para pegar o restante das coisas.

Eu e o Brandon nos sentamos na segunda fila do auditório, que já estava quase vazio.

Ele disse que mudar de última hora o nome da banda para Na Verdade, Ainda Não Sei foi genial.

Admiti que foi a minha avó quem deu a ideia.

Ele também disse que estava muito orgulhoso de mim e que eu cantava tão bem que poderia me tornar uma pop star.

E eu, tipo: "É, tá bom, uma pop star nem um pouco talentosa!"

Daí nós ficamos sentados ali, olhando um para o outro, e ele meio que ficou me encarando pelo que pareceu uma ETERNIDADE.

Cheguei a ficar vermelha, e meu estômago se encheu de borboletas.

AI, MEU DEUS! Eu ODEIO quando ele faz isso comigo.

Então eu sorri. E ele sorriu de volta, de um jeito meio tímido.

Quase PIREI quando o Brandon meio que se inclinou para frente, até a gente ficar a, tipo, sete centímetros de distância.

Meu coração batia tão forte que eu podia escutá-lo.

Por um segundo, pensei que talvez ele fosse... você sabe...!!!

^^^^^^^^^^^^^^^

EEEEEEEEEEEEEEE ☺!!!

Mas, nesse exato momento, a Brianna saltou da fileira de trás, se inclinou sobre o assento entre a gente, enfiou a mão bem na frente do rosto do Brandon e gritou:

"E AÍ, CARA? ESSA É A BICUDA! ELA É FILHA DE UMA CANETA BIC! E ELA ME CONTOU QUE VOCÊ TEM PIOLHO!!"

NÃO DAVA para acreditar que a Brianna tinha feito aquilo.

CARAMBA! Fiquei TÃO envergonhada.

Mas, mais do que isso, fiquei RINDO MUITO e ABSURDAMENTE FELIZ porque tudo tinha dado certo.

Então agarrei a Bicuda e dei um beijão bem melecado nela.

E ela achou nojento.

"Ela" quer dizer a Brianna, não a Bicuda.

E é claro que o Brandon e eu caímos na gargalhada.

Acho que agora ele já sabe que eu sou maluquinha mesmo.

AI, MEU DEUS!

Eu sou MUITO TONTA!!

☺!!

Rachel Renée Russell é uma advogada que prefere escrever livros infantojuvenis a documentos legais (principalmente porque livros são muito mais divertidos, e pijama e pantufas não são permitidos no tribunal).

Ela criou duas filhas e sobreviveu para contar a experiência. Sua lista de hobbies inclui o cultivo de flores roxas e algumas atividades completamente inúteis (como fazer um micro-ondas com palitos de sorvete, cola e glitter). Rachel vive no estado da Virgínia, nos Estados Unidos, com um cachorro da raça yorkie que a assusta diariamente ao subir no rack do computador e jogar bichos de pelúcia nela enquanto ela escreve. E, sim, a Rachel se considera muito tonta.